ARRIA MARCELLA

LES CLASSIQUES D'AUJOURD'HUI

THÉOPHILE GAUTIER

Arria Marcella

Souvenir de Pompéi

Présentation et notes de
Bernard Auzanneau

LE LIVRE DE POCHE

Portrait de Théophile Gautier.
Photo Boyer-Viollet.

	REPÈRE CHRONOLOGIQUES	
Date	**Vie de Théophile Gautier**	**Événements littéraires, artistiques et historiques**
1811	30 août — naissance à Tarbes	
1822	Externe au Collège Charlemagne avec Gérard Labrunie.	
1824		Mazois. *Les Ruines de Pompéi* (album avec planches)
1828		Mai : 1er conte d'Hoffmann publié en français, *L'Archet du Baron B.*
1829	Fréquente l'atelier du peintre Riault et veut devenir peintre.	Traduction du *Voyage à Pompéi* de l'abbé Romanelli
1830	Présenté à Victor Hugo par Nerval. 25 février : « Bataille d'Hernani ». 28 juillet : *Poésies*.	Révolution de Juillet. *Le Vase étrusque* de Mérimée. *Du fantastique en littérature*, article de Charles Nodier clôt la querelle entre partisans de Walter Scott et d'Hoffmann. *L'Élixir de longue vie* de Balzac.
1831	*La Cafetière*, conte fantastique.	
1832	*Onuphrius*.	
1834	*Omphale*.	*Les Âmes du Purgatoire* de Mérimée.
1836	*Mademoiselle de Maupin. La Morte amoureuse.*	
1837	Critique théâtrale dans LA PRESSE d'Émile de Girardin.	*La Vénus d'Ille* de Mérimée.
1840	*Le Pied de momie*.	Traduction par Nerval du *Second Faust* de Goethe. *Le Diamant de l'Herbe* de Xavier Forneret, nouvelle fantastique dans *Pièce de pièces, temps perdu*.
1841	Livret du ballet *Giselle*.	
1844	*Le Roi Candaule*.	
1845		*Histoire du calife Hakem, Le Temple d'Isis*, souvenirs de Pompéi de Nerval.
1846	*Le Club des Hachichins*.	
1848	Mort de sa mère.	Révolution de Février. Journées de Juin. — 1er conte de Poe traduit par Baudelaire : *Révélation magnétique*.

	REPÈRE CHRONOLOGIQUES	
Date	**Vie de Théophile Gautier**	**Événements littéraires, artistiques et historiques**
1849	Voyages à Londres et en Espagne.	*Les Mille et un Fantômes* d'Alexandre Dumas. Mort de Poe. Le pape est déchu comme souverain temporel par « la république italienne ». 1re exposition des préraphaélites à Londres.
1850	Voyage en Italie (Venise avec Marie Mattei ; Florence, Rome et Naples d'où il est expulsé pour motif politique).	Loi Falloux. Pie IX rentre à Rome. Mort de Balzac.
1851	Voyage à Londres à l'occasion de l'exposition universelle. Entre au « Comité de Rédaction » de la *Revue de Paris*.	*L'Intérieur grec*, de Gérôme. Coup d'État du 2 décembre. 21 et 22 décembre plébiscite en faveur de Napoléon Bonaparte. 11 décembre exil de Hugo.
1852	*Arria Marcella* paraît dans la REVUE DE PARIS et LE PAYS. *Emaux et Camées*.	*Poèmes antiques* de Leconte de Lisle.
1853		*Le Tepidarium* de Chassériau ; Nadar : premier atelier de photo ; Nerval : *Sylvie*
1854	*Gemma*, ballet (retour au sujet de la nouvelle) Voyage en Allemagne (Munich, Dresde) 22 août — mort du père de Gautier.	Guerre de Crimée.
1855	Passe de LA PRESSE au MONITEUR UNIVERSEL (journal officiel du régime impérial).	Création par Louis Hachette de la Bibliothèque des chemins de fer. Nerval : *Aurélia* ; il meurt le 26 janvier.
1856	Candidature et premier échec à l'Académie française. *Avatar* et *Jettatura* paraissent au MONITEUR UNIVERSEL.	Naissance de Freud.
1857	Parution du *Roman de la momie*.	Premières photos lunaires (De la Rue). Parution des *Fleurs du mal* (dédiées à Théophile Gautier) et de *Madame Bovary*. *Histoires extraordinaires*, de Poe, traduites par Baudelaire.

Date	Vie de Théophile Gautier	Événements littéraires, artistiques et historiques
1858	Début du voyage en Russie. *Histoire de l'Art dramatique* (en 6 volumes).	La Bibliothèque Nationale sur les plans de Labrouste. *Les Derniers Jours de Pompéi*, de E. Bulwer-Lytton, traduits par Hyppolyte Lucas.
1859	Nouvelle édition d'*Emaux et Camées*. Excursion à Tarbes.	Guerre d'Italie. Hugo — 1ʳᵉ série de *La Légende des siècles*.
1860	15 janvier : récitation d'un prologue en vers écrits à l'occasion de l'inauguration de la Maison pompéienne du Prince Napoléon « La femme de Diomède, où Arria se réveille de son sommeil ».	Découverte et fouilles d'Alésia.
1861	Début de la parution du *Capitaine Fracasse*.	*L'Ile des morts, Venus genitrix* de Böcklin.
1862	Voyage à Londres et en Algérie.	Exposition universelle à Londres. *Salammbô* de Gustave Flaubert.
1863	Séjour à Nohant chez George Sand. *Romans et Contes* chez l'éditeur Charpentier.	*Vie de Jésus* de Renan.
1864		*La Cité antique* de Fustel de Coulanges. Offenbach : *La Belle Hélène*.
1865	Écrit *Spirite* à Genève chez Carollota Grisi.	
1866	*Mlle Dafné de Montbriand*, dernière nouvelle parue du vivant de Gautier. Mariage non souhaité de sa fille Judith avec Catulle Mendès.	Juillet-août — défaite de l'Autriche contre la Prusse à Sadowa.
1867	Nouvel échec à l'Académie française.	Inauguration de l'exposition universelle de Paris. Hartmann : *De l'Inconscient* ; mort de Baudelaire.
1868	Dernier échec à l'Académie. Mariage. En novembre nommé bibliothécaire de la princesse Mathilde.	
1869	Voyage en Égypte.	Inauguration du canal de Suez. Début de l'ère de Meiji au Japon.

REPÈRE CHRONOLOGIQUES		
Date	**Vie de Théophile Gautier**	**Événements littéraires, artistiques et historiques**
1870	Se réfugie de Neuilly, à Paris, avec ses deux sœurs. Mariage de son fils Théophile.	Guerre franco-prussienne. Siège de Paris. Schliemann : 1re campagne de fouilles à Troie. Le pape perd son pouvoir temporel mais prolonge le dogme de l'infaillibilité.
1871		La Commune de Paris (18 mars — 27 mai).
1872	Mariage d'Estelle Gautier et d'Émile Bergerat. 23 octobre : mort à Neuilly à l'âge de 71 ans. 6 novembre : dernier article, consacré à la « Bataille d'Hernani » à paraître dans une *Histoire du Romantisme* restée inachevée.	
1873	23 octobre : *Le Tombeau de Théophile Gautier* (comprenant entre autres *A Théophile Gautier* de Victor Hugo et *Toast funèbre* de S. Mallarmé).	Exposition universelle de Vienne.

Présentation

Théophile Gautier, quand il écrivit *Arria Marcella, souvenir de Pompéi*, connaissait bien le site qu'on avait redécouvert depuis le XVIIIe siècle et où les fouilles avaient commencé et mis au jour les ruines qu'on visite encore aujourd'hui. La ville, engloutie autrefois sous un déluge de pierres et de cendres, avait commencé de ressusciter.

Il l'avait redécouverte, lui aussi, deux ans plus tôt, en 1850, à l'occasion d'un voyage en Italie. A la demande des journaux, il faisait en effet du reportage.

Il pratiquait aussi depuis vingt ans, et avec succès, le récit fantastique à base de terreur et de macabre romantique. Avec cette œuvre se dessine dans sa carrière de conteur un tournant : il ne veut pas, cette fois, seulement faire peur et faire rêver, mais aussi faire réfléchir. Ses personnages sont pourtant trois jeunes gens, qui aiment vivre et s'amuser, et font ensemble ce qu'on appelait, au XIXe siècle, le « voyage d'Italie ». Dans ce cadre traditionnel il va écrire un récit original.

Dans une précédente nouvelle, *La Morte Amoureuse*, ou encore dans *La Vénus d'Ille* de Mérimée, l'atmosphère qui règne dès la première page est la peur. On en est assez loin ici, avec au début l'incident du musée qui paraît sans conséquence, le départ en « corricolo » vers la gare, et toutes les images rassurantes que Gautier multiplie. Ce jour-là le Vésuve « fume débonnairement sa pipe », la mer est splendide et le temps magnifique, on mord dans l'Antiquité comme dans une journée de vacances. Au terme d'une visite remplie d'excitation, la nuit viendra tout à l'heure, « sereine et transparente », et le soir, à l'auberge, la conversation des trois amis, le cigare à la bouche, va se prolonger.

Le récit nous charme par son pittoresque et son naturel. Ce qui pourrait n'être qu'une excursion archéologique devient une flânerie poétique. Octavien, Max et Fabio regardent et plaisantent, et n'écoutent guère la leçon du guide. Le guide véritable n'est-il pas d'ailleurs, plutôt que le cicerone, qui accompagne les jeunes gens, et dont ils voudraient bien se passer, le conteur qui conduit insensiblement son lecteur là où il veut le mener ?

Gautier est discret mais ne manque pas d'humour : « Nous n'écrivons pas des impressions de voyage sur Naples, mais le récit d'une aventure bizarre et peu croyable, quoique vraie. » Les jalons qu'il pose dans cette première partie n'échappent pas au lecteur un peu attentif : la fascination d'Octavien, au Musée des Studii, devant la vitrine qui contient l'empreinte moulée dans la cendre noire, ses accès de mélancolie en voyant « les formes d'une existence évanouie conser-

vées intactes », sa réplique ironique à Fabio (« peut-
être y a-t-il du nouveau sous la lune ! »), et surtout
cette larme qu'il verse dans la villa d'Arrius Diomèdes. Par petites touches le portrait d'Octavien se pré-
cise, avec ses élans vers l'idéal, son dégoût du réel,
et cette volonté, qui le différencie de ses deux camarades, de sortir par le rêve « du temps et de la vie ».

Le récit peut maintenant reprendre — ou vraiment
commencer ? — dans une tout autre tonalité. Ceux
qui aiment le fantastique ne peuvent pas y accéder
sans précautions, car il y a un pas à franchir. On est
certainement au départ plus ou moins doué pour
l'étrange, et pour le rencontrer il vaut mieux l'être —
condition que remplit Octavien —, mais il ne suffit
pas de le vouloir. Son fiasco à Rome le montre, son
échec aussi à la fin du conte, quand il veut renouveler
son aventure.

Que signifie alors la facilité avec laquelle, lui, à
la différence du chevalier romain arrêté par la herse,
« déplace la barre de bois qui ferme la ville morte » ?
C'est qu'il a atteint, et nous aussi sans le savoir — le
lecteur suit le héros comme son ombre, dans ce conte
« pas comme les autres » —, le point de non-retour.
Le passé et le présent s'emboîtent exactement, on
entre dans la vie antique de plain-pied, qu'on soit
chaussé de sandales ou de bottes vernies, et, dans ce
clair-obscur, les fantômes peuvent venir à notre rencontre : « Ses pieds, sans qu'il en eût conscience, le
portèrent à l'entrée par laquelle on pénètre dans la
ville morte. » (p. 42)

Gautier avait bien écouté la leçon de Mérimée :

« lorsqu'on raconte quelque chose de surnaturel, on ne saurait trop multiplier les détails de réalité matérielle ». Mais pourquoi et comment la rationalité peut-elle admettre le surnaturel ? Octavien nous aide à démêler cet irritant problème. Sans descendre aux Enfers, comme d'autres, il s'aventure aux confins de l'espace et du temps. Or ce temps n'est ni arrêté, ni suspendu, ni même recommencé : en ce sens il ne visite pas Pompéi à nouveau, comme il l'a fait la veille, ou comme il y reviendra plus tard.

Les données de son existence réelle sont modifiées. Mais, en ce domaine, les explications ne servent à rien et ne sont donc pas vraies. Son trouble lors de la première visite, son malaise au début de la seconde, disparaissent dans cette sorte de vision « rétrospective » dont il va être gratifié. La clef de sa surprise et de son ravissement est à chercher dans les détails si réalistes qui se multiplient, mais surtout dans la conformité totale de l'événement avec les rêves d'Octavien.

En fait ce n'est pas Pompéi qui ressuscite, mais lui, en quelque sorte, quand il découvre qu'il existe un autre niveau de rationalité, en harmonie avec les aspirations profondes de sa personne, dont le sens lui est devenu clair. C'est au théâtre que se produit le choc décisif, le spectacle opère la vraie libération. Il a désormais, comme le demandait l'annonceur de la pièce de Plaute, « l'âme libre de tout souci » (p. 59), il est prêt à la rencontre nécessaire de l'amour. Le rêve amoureux ne s'épanche plus dans la vie réelle, comme dans l'*Aurélia* de Gérard de Nerval, mais a rejoint le présent : « il comprit qu'il avait devant lui son premier et son dernier amour » (p. 62).

Quel chemin parcouru depuis la veille, quand les trois amis descendaient du train à la station de Pompéi ! Les guides se sont succédé pour ce qui apparaît comme un voyage initiatique. Tout le récit est en effet structuré par les seuils qu'Octavien est obligé de franchir. Il ne s'agit ni de parler latin : « il y perdait son latin, et à vrai dire ce n'était pas grand-chose » (p. 53), ni de se convaincre qu'il ne vit qu'un rêve, mais d'abord d'accepter ce qui lui arrive, si la transformation qui s'opère en lui est irrécusable.

Ce récit, totalement maîtrisé, est ponctué de recommencements et d'avancées successives qui correspondent aux transgressions que Gautier rend possibles et nécessaires à son héros. Celui-ci résiste, ou montre au contraire une étrange docilité, avant de prendre conscience que passé et présent, vie et mort, tristesse et volupté, sont de faux contraires et peuvent, dans une certaine lumière, être perçus simultanément par l'esprit.

S'il n'y avait pas l'art et le passé, la réalité serait inacceptable, mais elle est, sans la beauté et l'amour, frustrante. Gautier a pressenti le freudisme et le surréalisme, la levée salutaire des inhibitions, et, à l'opposé, tout le refoulé chrétien : car l'apparition du père d'Arria, qui la fait retourner au néant, laisse Octavien inconsolable (p. 75).

Il ne faut donc pas, selon Gautier, se réfugier dans le passé. Car l'abolition du temps est à la fois une permanente aspiration (p. 71) et une utopie sans lendemain, mais le retour au présent, au théâtre San Carlo, mène aussi à une impasse. La mesquinerie et la laideur modernes servent de contrepoint au récit : au nom de la beauté, Théophile Gautier proteste contre une fausse « civilisation ».

L'amour seul rend ce monde habitable. C'est ce qu'Arria révèle à Octavien : « C'était toi que j'attendais », dit le jeune homme, et elle lui répond : « J'ai froid d'être restée si longtemps sans amour ». A ce duo si pathétique se mêle un instant la voix de Gautier, qui se souvient lui-même de Nerval : « Rien ne meurt, tout existe toujours ; nulle force ne peut anéantir ce qui fut une fois » (p. 70).

ARRIA MARCELLA,
Souvenir de Pompéi

Trois jeunes gens, trois amis qui avaient fait ensemble le voyage d'Italie, visitaient l'année dernière[1] le musée des Studii[2], à Naples, où l'on a réuni les différents objets antiques exhumés des fouilles de Pompéi et d'Herculanum.

Ils s'étaient répandus à travers les salles et regardaient les mosaïques, les bronzes, les fresques détachés des murs de la ville morte, selon que leur caprice les éparpillait, et quand l'un d'eux avait fait une rencontre curieuse, il appelait ses compagnons avec

---

1. A rapprocher du voyage en Italie accompli par Théophile Gautier lui-même en 1850 et de la date de publication de la nouvelle dans *la Revue de Paris* (1er mars 1852) ; le sous-titre est explicite, *Souvenir de Pompéi*, et se charge aussi d'une référence nervalienne : *Isis*, la *Fille du Feu*, le portait dans sa première version de 1845 : *Le Temple d'Isis*.
2. Le musée archéologique national qui occupe le bâtiment de l'ancienne université de Naples (aux XVIIe et XVIIIe siècles).

des cris de joie, au grand scandale des Anglais taciturnes et des bourgeois posés
15 occupés à feuilleter leur livret.

Mais le plus jeune des trois, arrêté devant une vitrine, paraissait ne pas entendre les exclamations de ses camarades, absorbé qu'il était dans une contemplation profonde.
20 Ce qu'il examinait avec tant d'attention, c'était un morceau de cendre noire coagulée[1] portant une empreinte creuse : on eût dit un fragment de moule de statue, brisé par la fonte ; l'œil exercé d'un artiste y eût aisé-
25 ment reconnu la coupe d'un sein admirable et d'un flanc aussi pur de style que celui d'une statue grecque. L'on sait, et le moindre guide du voyageur vous l'indique, que cette lave, refroidie autour du corps d'une femme,
30 en a gardé le contour charmant. Grâce au caprice de l'éruption qui a détruit quatre villes, cette noble forme[2], tombée en poussière depuis deux mille ans bientôt, est parvenue jusqu'à nous ; la rondeur d'une gorge a tra-
35 versé les siècles lorsque tant d'empires disparus n'ont pas laissé de trace ! Ce cachet de beauté, posé par le hasard sur la scorie d'un volcan, ne s'est pas effacé.

Voyant qu'il s'obstinait dans sa contem-

---

1. Cette pièce s'est désagrégée mais Chateaubriand et Dumas en parlent, elle était célèbre à l'époque.
2. Pas de beauté pour Gautier sans « forme » ; la lave du Vésuve a conservé ce sein et lui a gardé à travers le temps son « cachet de beauté ».

40 plation, les deux amis d'Octavien[1] revinrent
    vers lui, et Max, en le touchant à l'épaule,
    le fit tressaillir comme un homme surpris
    dans son secret. Évidemment Octavien
    n'avait entendu venir ni Max ni Fabio.

45 « Allons, Octavien, dit Max, ne t'arrête
    pas ainsi des heures entières à chaque
    armoire, ou nous allons manquer l'heure du
    chemin de fer, et nous ne verrons pas Pom-
    péi aujourd'hui.

50 — Que regarde donc le camarade ?
    ajouta Fabio, qui s'était rapproché. Ah !
    l'empreinte trouvée dans la maison d'Arrius
    Diomèdes[2]. » Et il jeta sur Octavien un coup
    d'œil rapide et singulier.

55 Octavien rougit faiblement, prit le bras de
    Max, et la visite s'acheva sans autre inci-
    dent. En sortant des Studii, les trois amis
    montèrent dans un corricolo et se firent
    mener à la station du chemin de fer. Le corri-
60 colo[3], avec ses grandes roues rouges, son
    strapontin constellé de clous de cuivre, son
    cheval maigre et plein de feu, harnaché
    comme une mule d'Espagne, courant au
    galop sur les larges dalles de lave, est trop

---

1. Prénom d'origine latine qui renvoie peut-être aussi à l'*Octavie* de Gérard de Nerval (1843).
2. Située à la sortie N.-O. de Pompéi, sur la voie des tombeaux ; on retrouva dans la cave de cette maison dix-sept squelettes, et on moula le sein d'une jeune fille dont la cendre avait réalisé miracu-leusement l'empreinte.
3. Petite calèche ; c'est le titre du voyage en Italie d'Alexandre Dumas (1843).

17

65 connu pour qu'il soit besoin d'en faire la
description ici, et d'ailleurs nous n'écrivons
pas des impressions de voyage sur Naples,
mais le simple récit d'une aventure bizarre
et peu croyable, quoique vraie.

70 Le chemin de fer par lequel on va à Pompéi longe presque toujours la mer, dont les
longues volutes d'écume viennent se dérou-
ler sur un sable noirâtre qui ressemble à du
charbon tamisé. Ce rivage, en effet, est
75 formé de coulées de lave et de cendres vol-
caniques, et produit, par son ton foncé, un
contraste avec le bleu du ciel et le bleu de
l'eau ; parmi tout cet éclat, la terre seule
semble retenir l'ombre.

80 Les villages que l'on traverse ou que l'on
côtoie, Portici, rendu célèbre par l'opéra de
M. Auber[1], Resina, Torre del Greco, Torre
dell' Annunziata, dont on aperçoit en passant les maisons à arcades et les toits en ter-
85 rasses, ont, malgré l'intensité du soleil et le
lait de chaux méridional, quelque chose de
plutonien et de ferrugineux comme Man-
chester et Birmingham[2] ; la poussière y est
noire, une suie impalpable s'y accroche à
90 tout ; on sent que la grande forge du Vésuve
halète et fume à deux pas de là.

---

1. *La Muette de Portici* (1828) « célèbre » par son influence sur
le mouvement belge d'indépendance en 1830.
2. Les temps, les pays et les civilisations sont rapprochés et
mêlés de façon surprenante, sous le signe du chemin de fer et de
la révolution industrielle.

Vue de Naples. Gravure de Challamel.

Chantier de fouilles. Gravure de Desprez.

Les trois amis descendirent à la station de Pompéi, en riant entre eux du mélange d'antique et de moderne que présentent natu-
95 rellement à l'esprit ces mots : *Station de Pompéi*. Une ville gréco-romaine et un débarcadère de railway !

Ils traversèrent le champ planté de cotonniers, sur lequel voltigeaient quelques bour-
100 res [1] blanches, qui sépare le chemin de fer de l'emplacement de la ville déterrée, et prirent un guide à l'osteria [2] bâtie en dehors des anciens remparts, ou, pour parler plus correctement, un guide les prit. Calamité qu'il
105 est difficile de conjurer en Italie.

Il faisait une de ces heureuses journées si communes à Naples, où par l'éclat du soleil et la transparence de l'air les objets prennent des couleurs qui semblent fabuleuses dans le
110 Nord, et paraissent appartenir plutôt au monde du rêve qu'à celui de la réalité. Quiconque a vu une fois cette lumière d'or et d'azur en emporte au fond de sa brume une incurable nostalgie.
115 La ville ressuscitée, ayant secoué un coin de son linceul de cendre, ressortait avec ses mille détails sous un jour aveuglant. Le Vésuve découpait dans le fond son cône sillonné de stries de laves bleues, roses, violet-

---

1. Duvet recouvrant les bourgeons des cotonniers ; on est au mois de juin.
2. L'auberge.

120 tes, mordorées par le soleil. Un léger
brouillard, presque imperceptible dans la
lumière, encapuchonnait la crête écimée de
la montagne ; au premier abord, on eût pu le
prendre pour un de ces nuages qui, même
125 par les temps les plus sereins, estompent le
front des pics élevés. En y regardant de plus
près, on voyait de minces filets de vapeur
blanche sortir du haut du mont comme des
trous d'une cassolette, et se réunir ensuite en
130 vapeur légère. Le volcan, d'humeur débon-
naire ce jour-là, fumait tout tranquillement
sa pipe, et sans l'exemple de Pompéi ensevelie à ses pieds, on ne l'aurait pas cru d'un
caractère plus féroce que Montmartre ; de
135 l'autre côté, de belles collines aux lignes
ondulées et voluptueuses comme des han-
ches de femme, arrêtaient l'horizon ; et plus
loin la mer, qui autrefois apportait les birè-
mes et les trirèmes [1] sous les remparts de la
140 ville, tirait sa placide barre d'azur.

L'aspect de Pompéi est des plus surpre-
nants ; ce brusque saut de dix-neuf siècles
en arrière étonne même les natures les plus
prosaïques et les moins compréhensives ;
145 deux pas vous mènent de la vie antique à la
vie moderne, et du christianisme au paganisme ; aussi, lorsque les trois amis virent
ces rues où les formes d'une existence évanouie sont conservées intactes, éprouvèrent-

---

1. Navires romains à deux ou trois rangs de rames.

150 ils, quelque préparés qu'ils y fussent par les
livres et les dessins, une impression aussi
étrange que profonde. Octavien surtout semblait frappé de stupeur et suivait machinale-
ment le guide d'un pas de somnambule[1],
155 sans écouter la nomenclature monotone et
apprise par cœur que ce faquin débitait
comme une leçon.

Il regardait d'un œil effaré ces ornières de
char creusées dans le pavage cyclopéen[2] des
160 rues et qui paraissent dater d'hier tant
l'empreinte en est fraîche ; ces inscriptions
tracées en lettres rouges, d'un pinceau cursif[3], sur les parois des murailles : affiches de
spectacle, demandes de location, formules
165 votives, enseignes, annonces de toutes sor-
tes, curieuses comme le serait dans deux
mille ans, pour les peuples inconnus de
l'avenir, un pan de mur de Paris retrouvé
avec ses affiches et ses placards ; ces mai-
170 sons aux toits effondrés laissant pénétrer
d'un coup d'œil tous ces mystères d'intérieur, tous ces détails domestiques que négli-
gent les historiens et dont les civilisations
emportent le secret avec elles ; ces fontaines
175 à peine taries, ce forum surpris au milieu

---

1. Octavien rêve éveillé.
2. Le volcan a l'œil rond et le gigantisme du cyclope ; le pavage
est à sa mesure et à sa ressemblance.
3. Ecrit rapidement.

d'une réparation [1] par la catastrophe, et dont les colonnes, les architraves [2] toutes taillées, toutes sculptées, attendent dans leur pureté d'arête qu'on les mette en place ; ces tem‑
180 ples voués à des dieux passés à l'état mytho‑ logique et qui alors n'avaient pas un athée ; ces boutiques où ne manque que le mar‑ chand ; ces cabarets où se voit encore sur le marbre la tache circulaire laissée par la tasse
185 des buveurs ; cette caserne aux colonnes peintes d'ocre et de minium que les soldats ont égratignée de caricatures de combattants, et ces doubles théâtres de drame et de chant juxtaposés, qui pourraient reprendre leurs
190 représentations, si la troupe qui les desser‑ vait, réduite à l'état d'argile, n'était pas occupée, peut-être, à luter le bondon [3] d'un tonneau de bière ou à boucher une fente de mur, comme la poussière d'Alexandre et de
195 César, selon la mélancolique réflexion d'Hamlet [4].

Fabio monta sur le thymelé [5] du théâtre

---

1. La ville abîmée par un tremblement de terre en 63 était en cours de reconstruction.
2. Partie supérieure d'un bâtiment qui repose immédiatement sur les colonnes.
3. Fermer la bonde d'un tonneau avec un enduit qui renforce le bouchon.
4. Dans la célèbre scène du cimetière (V. I) Hamlet dit : « Qu'est-ce qui me retiendrait d'imaginer cette noble cendre d'empereur réduite à calfater une barrique. »
5. Autel dédié à Bacchus placé au centre du théâtre, en bas des gradins, dans l'orchestre.

tragique tandis que Octavien et Max grimpaient jusqu'en haut des gradins, et là il se mit à débiter avec force gestes les morceaux de poésie qui lui venaient à la tête, au grand effroi des lézards, qui se dispersaient en frétillant de la queue et en se tapissant dans les fentes des assises ruinées ; et quoique les vases d'airain ou de terre [1], destinés à répercuter les sons, n'existassent plus, sa voix n'en résonnait pas moins pleine et vibrante.

Le guide les conduisit ensuite à travers les cultures qui recouvrent les portions de Pompéi encore ensevelies, à l'amphithéâtre [2], situé à l'autre extrémité de la ville. Ils marchèrent sous ces arbres dont les racines plongent dans les toits des édifices enterrés, en disjoignent les tuiles, en fendent les plafonds, en disloquent les colonnes, et passèrent par ces champs où de vulgaires légumes fructifient sur des merveilles d'art, matérielles images de l'oubli que le temps déploie sur les plus belles choses.

L'amphithéâtre ne les surprit pas. Ils avaient vu celui de Vérone, plus vaste et aussi bien conservé, et ils connaissaient la disposition de ces arènes antiques aussi familièrement que celle des places de taureaux en Espagne, qui leur ressemblent

---

1. On plaçait, en effet, dans certains alvéoles du mur du théâtre des vases destinés à renvoyer la voix des acteurs.
2. Ce que nous appelons improprement un cirque romain.

beaucoup, moins la solidité de la construction et la beauté des matériaux.

Ils revinrent donc sur leurs pas, gagnèrent par un chemin de traverse la rue de la Fortune, écoutant d'une oreille distraite le cicerone [1], qui en passant devant chaque maison la nommait du nom qui lui a été donné lors de sa découverte, d'après quelque particularité caractéristique : — la maison du Taureau de bronze, la maison du Faune, la maison du Vaisseau, le temple de la Fortune, la maison de Méléagre, la taverne de la Fortune à l'angle de la rue Consulaire, l'académie de Musique, le Four banal, la Pharmacie, la boutique du Chirurgien, la Douane, l'habitation des Vestales, l'auberge d'Albinus, les Thermopoles, et ainsi de suite jusqu'à la porte qui conduit à la voie des Tombeaux.

Cette porte en briques, recouverte de statues, et dont les ornements ont disparu, offre dans son arcade intérieure deux profondes rainures destinées à laisser glisser une herse, comme un donjon du Moyen Age à qui l'on aurait cru ce genre de défense particulier.

« Qui aurait soupçonné, dit Max à ses amis, Pompéi, la ville gréco-latine, d'une fermeture aussi romantiquement gothique ? Vous figurez-vous un chevalier romain attardé, sonnant du cor devant cette porte

_____

1. Le guide.

Restitution idéale d'un forum romain.

Le Forum de Pompéi aux environs de 1825.
Dessin de Mazois.

255   pour se faire lever la herse [1], comme un page du xve siècle ?

— Rien n'est nouveau sous le soleil, répondit Fabio, et cet aphorisme [2] lui-même n'est pas neuf, puisqu'il a été formulé par
260   Salomon.

— Peut-être y a-t-il du nouveau sous la lune ! continua Octavien en souriant avec une ironie mélancolique.

— Mon cher Octavien, dit Max, qui pen-
265   dant cette petite conversation s'était arrêté devant une inscription tracée à la rubrique [3] sur la muraille extérieure, veux-tu voir des combats de gladiateurs ? — Voici les affiches : — Combat et chasse pour le 5 des
270   nones [4] d'avril, — les mâts seront dressés, — vingt paires de gladiateurs lutteront aux nones, — et si tu crains pour la fraîcheur de ton teint, rassure-toi, on tendra les voiles [5] ; — à moins que tu ne préfères te rendre à
275   l'amphithéâtre de bonne heure, ceux-ci se couperont la gorge le matin — *matutini erunt* [6] ; on n'est pas plus complaisant. »

En devisant de la sorte, les trois amis suivaient cette voie bordée de sépulcres qui,

---

1. L'anachronisme est volontaire et transcende l'histoire.
2. Réflexion frappante qui semble énoncer une vérité.
3. En rouge.
4. Cinquième ou septième jour du mois (en mars, mai, juillet, octobre), selon le calendrier romain.
5. Les marins de la flotte tendaient en effet des voiles pour protéger les spectateurs du soleil.
6. Ils seront matinaux.

dans nos sentiments modernes, serait une lugubre avenue pour une ville, mais qui n'offrait pas les mêmes significations tristes pour les anciens, dont les tombeaux, au lieu d'un cadavre horrible, ne contenaient qu'une pincée de cendres, idée abstraite de la mort. L'art embellissait ces dernières demeures, et, comme dit Goethe, le païen décorait des images de la vie les sarcophages et les urnes.

C'est ce qui faisait sans doute que Max et Fabio visitaient, avec une curiosité allègre et une joyeuse plénitude d'existence qu'ils n'auraient pas eues dans un cimetière chrétien, ces monuments funèbres si gaiement[1] dorés par le soleil et qui, placés sur le bord du chemin, semblent se rattacher encore à la vie et n'inspirent aucune de ces froides répulsions, aucune de ces terreurs fantastiques que font éprouver nos sépultures lugubres. Ils s'arrêtèrent devant le tombeau de Mammia, la prêtresse publique, près duquel est poussé un arbre, un cyprès ou un peuplier ; ils s'assirent dans l'hémicycle du triclinium[2] des repas funéraires, riant comme des héritiers ; ils lurent avec force lazzi les épitaphes de Nevoleja, de Labeon et de la famille Arria, suivis d'Octavien, qui semblait plus touché que ses insouciants compa-

---

1. Les tombes sont des lieux de vie, vivants et morts peuvent cohabiter.
2. Salle à manger à trois lits.

gnons du sort de ces trépassés de deux
mille ans.

310   Ils arrivèrent ainsi à la villa d'Arrius Diomèdes [1], une des habitations les plus consi-
dérables de Pompéi. On y monte par des
degrés de briques, et lorsqu'on a dépassé la
porte flanquée de deux petites colonnes laté-
315   rales, on se trouve dans une cour semblable
au *patio* qui fait le centre des maisons espa-
gnoles et moresques et que les anciens appelaient *impluvium* ou *cavædium* ; quatorze
colonnes de briques recouvertes de stuc for-
320   ment, des quatre côtés, un portique ou péri-
style couvert, semblable au cloître des
couvents, et sous lequel on pouvait circuler
sans craindre la pluie. Le pavé de cette cour
est une mosaïque de briques et de marbre
325   blanc, d'un effet doux et tendre à l'œil. Dans
le milieu, un bassin de marbre quadrilatère,
qui existe encore, recevait les eaux pluviales
qui dégouttaient du toit du portique. — Cela
produit un singulier effet d'entrer ainsi dans
330   la vie antique et de fouler avec des bottes
vernies des marbres usés par les sandales et
les cothurnes [2] des contemporains d'Auguste
et de Tibère.

Le cicerone les promena dans l'exèdre ou
335   salon d'été, ouvert du côté de la mer pour

---

1. L'attribution vient d'une confusion entre la maison et le tombeau voisin qui appartenait effectivement à la famille Arria.
2. Brodequins montants lacés par-devant.

31

en aspirer les fraîches brises. C'était là qu'on recevait et qu'on faisait la sieste pendant les heures brûlantes, quand soufflait ce grand zéphyr africain chargé de langueurs et d'ora-
340 ges. Il les fit entrer dans la basilique, longue galerie à jour qui donne de la lumière aux appartements et où les visiteurs et les clients attendaient que le nomenclateur[1] les appe-lât ; il les conduisit ensuite sur la terrasse de
345 marbre blanc d'où la vue s'étend sur les jar-dins verts et sur la mer bleue ; puis il leur fit voir le nymphæum ou salle de bain, avec ses murailles peintes en jaune, ses colonnes de stuc, son pavé de mosaïque et sa cuve de
350 marbre qui reçut tant de corps charmants évanouis comme des ombres ; — le cubicu-lum[2], où flottèrent tant de rêves venus de la porte d'ivoire[3], et dont les alcôves prati-quées dans le mur étaient fermées par un
355 conopeum ou rideau dont les anneaux de bronze gisent encore à terre, le tétrastyle ou salle de récréation, la chapelle des dieux lares, le cabinet des archives, la bibliothè-que, le musée des tableaux, le gynécée ou
360 appartement des femmes, composé de petites

1. Huissier qui annonce le nom des visiteurs au maître de mai-son.
2. La chambre à coucher.
3. Souvenir de Nerval qui se souvient lui-même d'Homère (*Odyssée*, chant XIX, 562-567) : les songes passent par deux por-tes, les portes d'ivoire quand ils sont trompeurs, les portes de corne quand ils nous « cornent » la vérité.

chambres en partie ruinées, dont les parois conservent des traces de peintures et d'arabesques comme des joues dont on a mal essuyé le fard.

365 Cette inspection terminée, ils descendirent à l'étage inférieur, car le sol est beaucoup plus bas du côté du jardin que du côté de la voie des Tombeaux ; ils traversèrent huit salles peintes en rouge antique, dont l'une est
370 creusée de niches architecturales, comme on en voit au vestibule de la salle des Ambassadeurs à l'Alhambra, et ils arrivèrent enfin à une espèce de cave ou de cellier dont la destination était clairement indiquée par huit
375 amphores d'argile dressées contre le mur et qui avaient dû être parfumées de vin de Crète, de Falerne et de Massique comme des odes d'Horace [1].

Un vif rayon de jour passait par un étroit
380 soupirail obstrué d'orties, dont il changeait les feuilles traversées de lumières en émeraudes et en topazes, et ce gai détail naturel souriait à propos à travers la tristesse du lieu.

« C'est ici, dit le cicerone de sa voix non-
385 chalante, dont le ton s'accordait à peine avec le sens des paroles, que l'on trouva, parmi dix-sept squelettes, celui de la dame dont l'empreinte se voit au musée de Naples. Elle avait des anneaux d'or, et les lambeaux de sa

---

1. Poète latin (65-8 av. J.-C.) qui a chanté ces vins dans ses odes.

390 fine tunique adhéraient encore aux cendres
tassées qui ont gardé sa forme. »

Les phrases banales du guide causèrent
une vive émotion à Octavien. Il se fit mon-
trer l'endroit exact où ces restes précieux
395 avaient été découverts, et s'il n'eût été
contenu par la présence de ses amis, il se
serait livré à quelque lyrisme extravagant ;
sa poitrine se gonflait, ses yeux se trem-
paient de furtives moiteurs : cette catastro-
400 phe, effacée par vingt siècles d'oubli, le
touchait comme un malheur tout récent ; la
mort d'une maîtresse ou d'un ami ne l'eût
pas affligé davantage, et une larme en retard
de deux mille ans tomba, pendant que Max
405 et Fabio avaient le dos tourné, sur la place
où cette femme, pour laquelle il se sentait
pris d'un amour rétrospectif, avait péri
étouffée par la cendre chaude du volcan.

« Assez d'archéologie comme cela !
410 s'écria Fabio ; nous ne voulons pas écrire
une dissertation sur une cruche ou une tuile
du temps de Jules César pour devenir mem-
bres d'une académie de province, ces souvenirs classiques me creusent l'estomac.
415 Allons dîner, si toutefois la chose est possi-
ble, dans cette osteria pittoresque, où j'ai
peur qu'on ne nous serve que des biftecks
fossiles et des œufs frais pondus avant la
mort de Pline [1].

---

1. Il s'agit de Pline l'Ancien dont le neveu, Pline le Jeune, a
raconté la mort dans l'éruption du Vésuve le 24 août 79 après J.-C.

420 — Je ne dirai pas comme Boileau [1] :

> *Un sot, quelquefois,*
> *ouvre un avis important,*

fit Max en riant, ce serait malhonnête ; mais
cette idée a du bon. Il eût été pourtant plus
425 joli de festiner [2] ici, dans un triclinium quelconque, couchés à l'antique, servis par des
esclaves, en manière de Lucullus ou de Tri-
malcion [3]. Il est vrai que je ne vois pas beaucoup d'huîtres du lac Lucrin ; les turbots et
430 les rougets de l'Adriatique sont absents ; le
sanglier d'Apulie manque sur le marché ; les
pains et les gâteaux au miel figurent au
musée de Naples aussi durs que des pierres
à côté de leurs moules vert-de-grisés ; le
435 macaroni cru, saupoudré de cacio-cavallo [4],
et quoiqu'il soit détestable, vaut encore
mieux que le néant. Qu'en pense le cher
Octavien ? »

Octavien, qui regrettait fort de ne pas
440 s'être trouvé à Pompéi le jour de l'éruption
du Vésuve pour sauver la dame aux anneaux
d'or et mériter ainsi son amour, n'avait pas
entendu une phrase de cette conversation

---

1. Son vers (*Art Poétique*, IV, 50) est exactement : « Un fat
quelquefois ouvre un avis important ».
2. Faire un festin.
3. Deux gourmets célèbres, l'un ami de Cicéron, l'autre, héros
du roman de Pétrone, *Le Satiricon*.
4. Fromage d'Italie méridionale en forme de poire.

gastronomique. Les deux derniers mots pro-
445   noncés par Max le frappèrent seuls, et
comme il n'avait pas envie d'entamer une
discussion, il fit, à tout hasard, un signe
d'assentiment, et le groupe amical reprit, en
côtoyant les remparts, le chemin de l'hôtel-
450   lerie.

L'on dressa la table sous l'espèce de por-
che ouvert qui sert de vestibule à l'osteria, et
dont les murailles, crépies à la chaux, étaient
décorées de quelques croûtes qualifiées par
455   l'hôte : Salvator Rosa, Espagnolet, cavalier
Massimo et autres noms célèbres de l'école
napolitaine [1], qu'il se crut obligé d'exalter.

« Hôte vénérable, dit Fabio, ne déployez
pas votre éloquence en pure perte. Nous ne
460   sommes pas des Anglais, et nous préférons
les jeunes filles aux vieilles toiles. Envoyez-
nous plutôt la liste de vos vins par cette belle
brune, aux yeux de velours, que j'ai aperçue
dans l'escalier. »

465   Le palforio [2], comprenant que ses hôtes
n'appartenaient pas au genre mystifiable des
philistins et des bourgeois, cessa de vanter
sa galerie pour glorifier sa cave. D'abord, il
avait tous les vins des meilleurs crus : Châ-
470   teau-Margaux, grand-Lafite retour des Indes,

---

1. L'aubergiste cite de grands noms de peintres napolitains des
XVIe et XVIIe siècles (Espagnolet désigne Ribera) pour d'infâmes
croûtes.
2. Le nom propre inventé par Musset pour un hôtelier des *Mar-
rons du feu* devient ici nom commun.

Sillery de Moët, Hochmeyer, Scarlat-wine, Porto et porter, ale et gingerbeer, Lacryma-Christi blanc et rouge, Capri et Falerne.

475 « Quoi ! tu as du vin de Falerne, animal, et tu le mets à la fin de ta nomenclature ; tu nous fais subir une litanie œnologique [1] insupportable, dit Max en sautant à la gorge de l'hôtelier avec un mouvement de fureur comique ; mais tu n'as donc pas le sentiment

480 de la couleur locale ? tu es donc indigne de vivre dans ce voisinage antique ? Est-il bon au moins, ton Falerne ? a-t-il été mis en amphore sous le consul Plancus ? — *consule Planco* [2].

485 — Je ne connais pas le consul Plancus, et mon vin n'est pas mis en amphore, mais il est vieux et coûte dix carlins la bouteille », répondit l'hôte.

Le jour était tombé et la nuit était venue,
490 nuit sereine et transparente, plus claire, à coup sûr, que le plein midi de Londres ; la terre avait des tons d'azur et le ciel des reflets d'argent d'une douceur inimaginable ; l'air était si tranquille que la flamme
495 des bougies posées sur la table n'oscillait même pas.

---

1. Cette carte internationale des vins est surtout récitée pour « l'épate » et place en dernier d'excellents crus italiens.
2. Sous le consulat de Plancus ; proconsul en Gaule et fondateur de Lyon, il fut consul en 42 av. J.-C. ; on datait les années — et les vins — à Rome du nom des consuls ; le falerne est un cru réputé de Campanie.

Un jeune garçon jouant de la flûte s'approcha de la table et se tint debout, fixant ses yeux sur les trois convives, dans une attitude de bas-relief, et soufflant dans son instrument aux sons doux et mélodieux, quelqu'une de ces cantilènes populaires en mode mineur dont le charme est pénétrant.

Peut-être ce garçon descendait-il en droite ligne du flûteur qui précédait Duilius [1].

« Notre repas s'arrange d'une façon assez antique ; il ne nous manque que des danseuses gaditanes [2] et des couronnes de lierre, dit Fabio en se versant une large rasade de vin de Falerne.

— Je me sens en veine de faire des citations latines comme un feuilleton des *Débats* ; il me revient des strophes d'ode, ajouta Max.

— Garde-les pour toi, s'écrièrent Octavien et Fabio, justement alarmés ; rien n'est indigeste comme le latin à table. »

La conversation entre jeunes gens qui, cigare à la bouche, le coude sur la table, regardent un certain nombre de flacons vidés, surtout lorsque le vin est capiteux, ne tarde pas à tourner sur les femmes. Chacun

---

1. Ce consul qui remporta sur les Carthaginois, en 261 av. J.-C. pendant la première guerre punique, la première victoire navale des Romains, obtint en récompense à vie une escorte de joueurs de flûte.
2. De Gadès.

38

exposa son système, dont voici à peu près
le résumé.

525   Fabio ne faisait cas que de la beauté et de
la jeunesse. Voluptueux et positif, il ne se
payait pas d'illusions et n'avait en amour
aucun préjugé. Une paysanne lui plaisait
autant qu'une duchesse, pourvu qu'elle fût
530   belle ; le corps le touchait plus que la robe ;
il riait beaucoup de certains de ses amis
amoureux de quelques mètres de soie et de
dentelles, et disait qu'il serait plus logique
d'être épris d'un étalage de marchand de
535   nouveautés. Ces opinions, fort raisonnables
au fond, et qu'il ne cachait pas, le faisaient
passer pour un homme excentrique.

Max, moins artiste que Fabio, n'aimait,
lui, que les entreprises difficiles, que les
540   intrigues compliquées ; il cherchait des
résistances à vaincre, des vertus à séduire,
et conduisait l'amour comme une partie
d'échecs, avec des coups médités longtemps,
545   des effets suspendus, des surprises et des
stratagèmes dignes de Polybe[1]. Dans un
salon, la femme qui paraissait avoir le moins
de sympathie à son endroit, était celle qu'il
choisissait pour but de ses attaques ; la faire
550   passer de l'aversion à l'amour par des transi-
tions habiles, était pour lui un plaisir
délicieux ; s'imposer aux âmes qui le
repoussaient, mater les volontés rebelles à

1. Historien grec du 2e siècle av. J.-C.

39

son ascendant, lui semblait le plus doux des
555 triomphes. Comme certains chasseurs qui
courent les champs, les bois et les plaines
par la pluie, le soleil et la neige, avec des
fatigues excessives et une ardeur que rien ne
rebute, pour un maigre gibier que les trois
560 quarts du temps ils dédaignent de manger,
Max, la proie atteinte, ne s'en souciait plus,
et se remettait en quête presque aussitôt.

Pour Octavien, il avouait que la réalité ne
le séduisait guère, non qu'il fît des rêves de
565 collégien tout pétris de lis et de roses comme
un madrigal de Demoustier[1], mais il y avait
autour de toute beauté trop de détails prosaïques et rebutants ; trop de pères radoteurs
et décorés ; de mères coquettes, portant des
570 fleurs naturelles dans de faux cheveux ; de
cousins rougeauds et méditant des déclara-
tions ; de tantes ridicules, amoureuses de
petits chiens. Une gravure à l'aqua-tinte[2],
d'après Horace Vernet ou Delaroche, accro-
575 chée dans la chambre d'une femme, suffisait
pour arrêter chez lui une passion naissante.
Plus poétique encore qu'amoureux, il
demandait une terrasse de l'Isola-Bella, sur
le lac Majeur, par un beau clair de lune, pour
580 encadrer un rendez-vous. Il eût voulu enlever son amour du milieu de la vie commune
et en transporter la scène dans les étoiles.

---

1. Auteur à la mode à la fin du XVIIIe siècle, précieux et mignard.
2. A l'eau-forte.

Aussi s'était-il épris tour à tour d'une passion impossible et folle pour tous les grands types féminins conservés par l'art ou l'histoire. Comme Faust, il avait aimé Hélène [1], et il aurait voulu que les ondulations des siècles apportassent jusqu'à lui une de ces sublimes personnifications des désirs et des rêves humains, dont la forme, invisible pour les yeux vulgaires, subsiste toujours dans l'espace et le temps. Il s'était composé un sérail idéal [2] avec Sémiramis, Aspasie, Cléopâtre, Diane de Poitiers, Jeanne d'Aragon. Quelquefois aussi il aimait des statues, et un jour, en passant au Musée devant la Vénus de Milo, il s'était écrié : « Oh ! qui te rendra les bras pour m'écraser contre ton sein de marbre ! » A Rome, la vue d'une épaisse chevelure nattée exhumée d'un tombeau antique l'avait jeté dans un bizarre délire ; il avait essayé, au moyen de deux ou trois de ces cheveux obtenus d'un gardien séduit à prix d'or, et remis à une somnambule d'une grande puissance, d'évoquer l'ombre et la forme de cette morte ; mais le fluide conducteur s'était évaporé après tant d'années, et l'apparition n'avait pu sortir de la nuit éternelle.

---

1. Octavien se réfugie dans le rêve : le type féminin idéal est pour lui Hélène, héroïne du *Second Faust* de Goethe, adapté par Nerval en 1840.
2. Ces personnages féminins de l'histoire et de la légende vivent entre ciel et terre.

610   Comme Fabio l'avait deviné devant la
vitrine des Studii, l'empreinte recueillie dans
la cave de la villa d'Arrius Diomèdes exci-
tait chez Octavien des élans insensés vers un
idéal rétrospectif ; il tentait de sortir du
615   temps et de la vie, et de transposer son âme
au siècle de Titus.

Max et Fabio se retirèrent dans leur chambre, et, la tête un peu alourdie par les classiques fumées du Falerne, ne tardèrent pas à
620   s'endormir. Octavien, qui avait souvent
laissé son verre plein devant lui, ne voulant
pas troubler par une ivresse grossière
l'ivresse poétique [1] qui bouillonnait dans son
cerveau, sentit à l'agitation de ses nerfs que
625   le sommeil ne lui viendrait pas, et sortit de
l'osteria à pas lents pour rafraîchir son front
et calmer sa pensée à l'air de la nuit.

Ses pieds, sans qu'il en eût conscience, le
portèrent à l'entrée par laquelle on pénètre
630   dans la ville morte, il déplaça la barre de
bois qui la ferme et s'engagea au hasard
dans les décombres.

La lune illuminait de sa lueur blanche les
maisons pâles, divisant les rues en deux tran-
635   ches de lumière argentée et d'ombre bleuâ-
tre. Ce jour nocturne [2], avec ses teintes

---

1. Son exaltation est pure et va lui permettre de « sortir du temps
et de la vie ».
2. La nuit s'illumine, comme « le monde des esprits » chez Nerval, sous la clarté de la lune ; c'est le prolongement de l'exclama-
tion d'Octavien tout à l'heure : peut-être y a-t-il du nouveau sous
la lune !

ménagées [1], dissimulait la dégradation des édifices. L'on ne remarquait pas, comme à la clarté crue du soleil, les colonnes tron-
640 quées, les façades sillonnées de lézardes, les toits effondrés par l'éruption ; les parties absentes se complétaient par la demi-teinte, et un rayon brusque, comme une touche de sentiment dans l'esquisse d'un tableau, indi-
645 quait tout un ensemble écroulé. Les génies taciturnes de la nuit semblaient avoir réparé la cité fossile pour quelque représentation d'une vie fantastique.

Quelquefois même Octavien crut voir se
650 glisser de vagues formes humaines dans l'ombre ; mais elles s'évanouissaient dès qu'elles atteignaient la portion éclairée. De sourds chuchotements, une rumeur indéfi-nie, voltigeaient dans le silence. Notre pro-
655 meneur les attribua d'abord à quelque papillonnement de ses yeux, à quelque bourdonnement de ses oreilles, — ce pou-vait être aussi un jeu d'optique, un soupir de la brise marine, ou la fuite à travers les
660 orties d'un lézard ou d'une couleuvre, car tout vit dans la nature, même la mort, tout bruit, même le silence. Cependant il éprou-vait une espèce d'angoisse involontaire, un léger frisson, qui pouvait être causé par
665 l'air froid de la nuit, et faisait frémir sa peau. Il retourna deux ou trois fois la tête ;

---

1. Judicieusement placées.

il ne se sentait plus seul comme tout à
l'heure dans la ville déserte. Ses camarades
avaient-ils eu la même idée que lui, et le
670 cherchaient-ils à travers ces ruines ? Ces
formes entrevues, ces bruits indistincts de
pas, était-ce Max et Fabio marchant et cau-
sant, et disparus à l'angle d'un carrefour ?
Cette explication toute naturelle, Octavien
675 comprenait à son trouble qu'elle n'était pas
vraie, et les raisonnements qu'il faisait là-
dessus à part lui ne le convainquaient pas.
La solitude et l'ombre s'étaient peuplées
d'êtres invisibles qu'il dérangeait ; il tom-
680 bait au milieu d'un mystère, et l'on semblait attendre qu'il fût parti pour
commencer. Telles étaient les idées extra-
vagantes qui lui traversaient la cervelle et
qui prenaient beaucoup de vraisemblance
685 de l'heure, du lieu et de mille détails alar-
mants que comprendront ceux qui se sont
trouvés de nuit dans quelque vaste ruine.

En passant devant une maison qu'il avait
remarquée pendant le jour et sur laquelle la
690 lune donnait en plein, il vit, dans un état
d'intégrité parfaite, un portique dont il avait
cherché à rétablir l'ordonnance : quatre
colonnes d'ordre dorique cannelées jusqu'à
mi-hauteur, et le fût enveloppé comme d'une
695 draperie pourpre d'une teinte de minium,
soutenaient une cimaise [1] coloriée d'orne-

---

1. Moulure sur un haut de corniche.

44

ments polychromes, que le décorateur semblait avoir achevée hier ; sur la paroi latérale
de la porte un molosse de Laconie, exécuté
à l'encaustique [1] et accompagné de l'inscription sacramentelle : *Cave canem* [2], aboyait à
la lune et aux visiteurs avec une fureur
peinte. Sur le seuil de mosaïque le mot *Ave* [3],
en lettres osques [4] et latines, saluait les hôtes
de ses syllabes amicales. Les murs exté-
rieurs, teints d'ocre et de rubrique, n'avaient
pas une crevasse. La maison s'était exhaus-
sée d'un étage, et le toit de tuiles, dentelé
d'un acrotère [5] de bronze, projetait son profil
intact sur le bleu léger du ciel où pâlissaient
quelques étoiles.

Cette restauration étrange, faite de
l'après-midi au soir par un architecte
inconnu, tourmentait beaucoup Octavien, sûr
d'avoir vu cette maison le jour même dans
un fâcheux état de ruine. Le mystérieux
reconstructeur avait travaillé bien vite, car
les habitations voisines avaient le même
aspect récent et neuf ; tous les piliers étaient
coiffés de leurs chapiteaux ; pas une pierre,
pas une brique, pas une pellicule de stuc,
pas une écaille de peinture ne manquaient
aux parois luisantes des façades, et par

---

1. En délayant les couleurs dans de la cire préchauffée.
2. Attention au chien.
3. Bonjour.
4. Peuplement ancien d'Italie centrale.
5. Socle-support d'un ornement de toit.

l'interstice des péristyles on entrevoyait, 725 autour du bassin de marbre du cavædium[1], des lauriers roses et blancs, des myrtes et des grenadiers. Tous les historiens s'étaient trompés : l'éruption n'avait pas eu lieu, ou bien l'aiguille du temps avait reculé de vingt 730 heures séculaires[2] sur le cadran de l'éternité.

Octavien, surpris au dernier point, se demanda s'il dormait tout debout et marchait dans un rêve. Il s'interrogea sérieusement pour savoir si la folie ne faisait pas danser 735 devant lui ses hallucinations ; mais il fut obligé de reconnaître qu'il n'était ni endormi ni fou.

Un changement singulier avait eu lieu dans l'atmosphère ; de vagues teintes roses 740 se mêlaient, par dégradations violettes, aux lueurs azurées de la lune ; le ciel s'éclaircissait sur les bords ; on eût dit que le jour allait paraître. Octavien tira sa montre ; elle marquait minuit. Craignant qu'elle ne fût arrê- 745 tée, il poussa le ressort de la répétition ; la sonnerie tinta douze fois ; il était bien minuit, et cependant la clarté allait toujours augmentant, la lune se fondait dans l'azur de plus en plus lumineux ; le soleil se levait.

750 Alors Octavien, en qui toutes les idées de temps se brouillaient, put se convaincre qu'il se promenait non dans une Pompéi morte,

---

1. Cour intérieure d'une maison.
2. La grande horloge du temps a pris vingt siècles de retard.

froid cadavre de ville qu'on a tiré à demi de son linceul, mais dans une Pompéi vivante, jeune, intacte, sur laquelle n'avaient pas coulé les torrents de boue brûlante du Vésuve.

Un prodige inconcevable le reportait, lui, Français du XIXe siècle, au temps de Titus, non en esprit, mais en réalité, ou faisait revenir à lui, du fond du passé, une ville détruite avec ses habitants disparus ; car un homme vêtu à l'antique venait de sortir d'une maison voisine.

Cet homme portait les cheveux courts et la barbe rasée, une tunique de couleur brune et un manteau grisâtre, dont les bouts étaient retroussés de manière à ne pas gêner sa marche ; il allait d'un pas rapide, presque cursif, et passa à côté d'Octavien sans le voir. Un panier de sparterie [1] pendait à son bras, et il se dirigeait vers le Forum Nundinarium ; — c'était un esclave, un Davus [2] quelconque allant au marché ; il n'y avait pas à s'y tromper.

Des bruits de roues se firent entendre, et un char antique, traîné par des bœufs blancs et chargé de légumes, s'engagea dans la rue. A côté de l'attelage marchait un bouvier aux jambes nues et brûlées par le soleil, aux

---

1. Tressé en fibres végétales.
2. Le « type » de l'esclave dans la comédie latine ; il se rend au marché qui a lieu tous les neuf jours (*forum nundinarium*).

47

pieds chaussés de sandales, et vêtu d'une
espèce de chemise de toile bouffant à la
ceinture ; un chapeau de paille conique,
rejeté derrière le dos et retenu au col par la
785 mentonnière, laissait voir sa tête d'un type
inconnu aujourd'hui, son front bas traversé
de dures nodosités [1], ses cheveux crépus et
noirs, son nez droit, ses yeux tranquilles
comme ceux de ses bœufs, et son cou d'Her-
790 cule campagnard. Il touchait gravement ses
bêtes de l'aiguillon, avec une pose de statue
à faire tomber Ingres [2] en extase.

Le bouvier aperçut Octavien et parut
surpris, mais il continua sa route ; une fois
795 il retourna la tête, ne trouvant pas sans doute
d'explication à l'aspect de ce personnage
étrange pour lui, mais laissant, dans sa placide stupidité rustique, le mot de l'énigme à
de plus habiles.

800 Des paysans campaniens parurent aussi,
poussant devant eux des ânes chargés
d'outres de vin, et faisant tinter des sonnettes
d'airain ; leur physionomie différait de celle
des paysans d'aujourd'hui comme une
805 médaille diffère d'un sou.

La vie se peuplait graduellement comme
un de ces tableaux de diorama [3] d'abord

---

1. Renflements.
2. Né à Montauban, élève de David (1780-1867).
3. Spectacle très goûté dans la première moitié du XIXe siècle ;
une toile peinte est soumise à des jeux d'éclairage tandis que le
spectateur reste dans l'obscurité.

déserts, et qu'un changement d'éclairage anime de personnages invisibles jusque-là.

810 Les sentiments qu'éprouvait Octavien avaient changé de nature. Tout à l'heure, dans l'ombre trompeuse de la nuit, il était en proie à ce malaise dont les braves ne se défendent pas, au milieu de circonstances

815 inquiétantes et fantastiques que la raison ne peut expliquer. Sa vague terreur s'était changée en stupéfaction profonde ; il ne pouvait douter, à la netteté de leurs perceptions, du témoignage de ses sens, et cependant ce

820 qu'il voyait était parfaitement incroyable. — Mal convaincu encore, il cherchait par la constatation de petits détails réels à se prouver qu'il n'était pas le jouet d'une hallucination. — Ce n'étaient pas des fantômes qui

825 défilaient sous ses yeux, car la vive lumière du soleil les illuminait avec une réalité irrécusable, et leurs ombres allongées par le matin se projetaient sur les trottoirs et les murailles.

830 Ne comprenant rien à ce qui lui arrivait, Octavien, ravi au fond de voir un de ses rêves les plus chers accompli, ne résista plus à son aventure, il se laissa faire à toutes ces merveilles, sans prétendre s'en rendre

835 compte ; il se dit que puisque en vertu d'un pouvoir mystérieux il lui était donné de vivre quelques heures dans un siècle disparu, il ne perdrait pas son temps à chercher la solution d'un problème incompréhensible, et

840 il continua bravement sa route, en regardant
à droite et à gauche ce spectacle si vieux et
si nouveau pour lui. Mais à quelle époque
de la vie de Pompéi était-il transporté ? Une
inscription d'édilité, gravée sur une muraille,
845 lui apprit, par le nom des personnages
publics, qu'on était au commencement du
règne de Titus [1], — soit en l'an 79 de notre
ère. — Une idée subite traversa l'âme
d'Octavien ; la femme dont il avait admiré
850 l'empreinte au musée de Naples devait être
vivante, puisque l'éruption du Vésuve dans
laquelle elle avait péri eut lieu le 24 août de
cette même année ; il pouvait donc la retrou-
ver, la voir, lui parler... Le désir fou qu'il
855 avait ressenti à l'aspect de cette cendre moulée sur des contours divins allait peut-être se
satisfaire, car rien ne devait être impossible
à un amour qui avait eu la force de faire
reculer le temps, et passer deux fois la même
860 heure dans le sablier de l'éternité.

Pendant qu'Octavien se livrait à ces
réflexions, de belles jeunes filles se ren-
daient aux fontaines, soutenant du bout de
leurs doigts blancs des urnes en équilibre sur
865 leur tête ; des patriciens en toges blanches
bordées de bandes de pourpre, suivis de leur
cortège de clients, se dirigeaient vers le
forum. Les acheteurs se pressaient autour
des boutiques, toutes désignées par des

---

1. Empereur romain de 79 à 81.

870 enseignes sculptées et peintes, et rappelant
par leur petitesse et leur forme les boutiques
moresques d'Alger ; au-dessus de la plupart
de ces échoppes, un glorieux phallus de terre
cuite colorié et l'inscription *hic habitat feli-*
875 *citas* [1], témoignait de précautions supersti-
tieuses contre le mauvais œil ; Octavien
remarqua même une boutique d'amulettes
dont l'étalage était chargé de cornes, de
branches de corail bifurquées, et de petits
880 Priapes en or, comme on en trouve encore à
Naples aujourd'hui, pour se préserver de la
jettature [2], et il se dit qu'une superstition
durait plus qu'une religion.

En suivant le trottoir qui borde chaque rue
885 de Pompéi, et enlève ainsi aux Anglais la
confortabilité de cette invention, Octavien se
trouva face à face avec un beau jeune
homme, de son âge à peu près, vêtu d'une
tunique couleur de safran, et drapé d'un
890 manteau de fine laine blanche, souple
comme du cachemire. La vue d'Octavien,
coiffé de l'affreux chapeau moderne, sanglé
dans une mesquine redingote noire, les jambes emprisonnées dans un pantalon, les
895 pieds pincés par des bottes luisantes, parut
surprendre le jeune Pompéien, comme nous
étonnerait, sur le boulevard de Gand, un

---

1. Ici habite le bonheur.
2. Le mauvais œil ; *Jettatura* est le titre d'une autre nouvelle de
Gautier (1856).

Ioway ou un Botocudo [1] avec ses plumes, ses colliers de griffes d'ours et ses tatouages baroques. Cependant, comme c'était un jeune homme bien élevé, il n'éclata pas de rire au nez d'Octavien, et prenant en pitié ce pauvre barbare égaré dans cette ville græco-romaine, il lui dit d'une voix accentuée et douce :

« *Advena, salve* [2]. »

Rien n'était plus naturel qu'un habitant de Pompéi, sous le règne du divin empereur Titus, très puissant et très auguste, s'exprimât en latin, et pourtant Octavien tressaillit en entendant cette langue morte dans une bouche vivante. C'est alors qu'il se félicita d'avoir été fort en thème, et remporté des prix au concours général. Le latin enseigné par l'Université lui servit en cette occasion unique, et rappelant en lui ses souvenirs de classe, il répondit au salut du Pompéien en style de *De viris illustribus* et de *Selectæ e profanis* [3], d'une façon suffisamment intelligible, mais avec un accent parisien qui fit sourire le jeune homme.

« Il te sera peut-être plus facile de parler

---

1. Un Ioway est un Indien originaire de l'Iowa ; un Botocudo (il porte des disques — botoques — aux lèvres et aux oreilles) est un Indien du Brésil.

2. Salut, Étranger.

3. Ce sont deux manuels pour latinistes débutants écrits au XVIIIe siècle.

grec, dit le Pompéien ; je sais aussi cette langue, car j'ai fait mes études à Athènes.

925 — Je sais encore moins de grec que de
latin, répondit Octavien ; je suis du pays des
Gaulois, de Paris, de Lutèce.

— Je connais ce pays. Mon aïeul a fait la
guerre dans les Gaules sous le grand Jules
930 César. Mais quel étrange costume portes-tu ?
Les Gaulois que j'ai vus à Rome n'étaient
pas habillés ainsi. »

Octavien entreprit de faire comprendre au
jeune Pompéien que vingt siècles s'étaient
935 écoulés depuis la conquête de la Gaule par
Jules César, et que la mode avait pu chan-
ger ; mais il y perdit son latin, et à vrai dire
ce n'était pas grand-chose.

« Je me nomme Rufus Holconius [1], et ma
940 maison est la tienne, dit le jeune homme ; à
moins que tu ne préfères la liberté de la
taverne : on est bien à l'auberge d'Albinus,
près de la porte du faubourg d'Augustus
Felix, et à l'hôtellerie de Sarinus, fils de
945 Publius, près de la deuxième tour ; mais si
tu veux, je te servirai de guide dans cette
ville inconnue pour toi ; — tu me plais,
jeune barbare, quoique tu aies essayé de te
jouer de ma crédulité en prétendant que
950 l'empereur Titus, qui règne aujourd'hui, était
mort depuis deux mille ans, et que le Naza-
réen, dont les infâmes sectateurs, enduits de

---

1. Le nom figure sur plusieurs inscriptions de Pompéi.

53

poix, ont éclairé les jardins de Néron [1], trône
seul en maître dans le ciel désert, d'où les
955   grands dieux sont tombés. — Par Pollux !
ajouta-t-il en jetant les yeux sur une inscription rouge tracée à l'angle d'une rue, tu arri-
ves à propos, l'on donne la *Casina* de
Plaute [2], récemment remise au théâtre ; c'est
960   une curieuse et bouffonne comédie qui
t'amusera, n'en comprendrais-tu que la pantomime. Suis-moi, c'est bientôt l'heure ; je
te ferai placer au banc des hôtes et des étran-
gers. »

965   Et Rufus Holconius se dirigea du côté du
petit théâtre comique que les trois amis
avaient visité dans la journée.

Le Français et le citoyen de Pompéi prirent les rues de la Fontaine d'Abondance,
970   des Théâtres, longèrent le collège et le temple d'Isis, l'atelier du statuaire, et entrèrent
dans l'Odéon ou théâtre comique par un
vomitoire [3] latéral. Grâce à la recommanda-
tion d'Holconius, Octavien fut placé près du
975   proscenium, un endroit qui répondrait à nos
baignoires d'avant-scène. Tous les regards se
tournèrent aussitôt vers lui avec une curio-

---

1. En 64, il avait accusé les chrétiens d'avoir allumé le grand
incendie de Rome et les avait fait supplicier (Tacite,
Annales, XV 44).
2. La pièce jouée en 186 ou 185 avant J.-C. a presque trois siècles.
3. Une issue qui permet d'évacuer les spectateurs.

Le petit théâtre de Pompéi, d'après H. Wilkins.

sité bienveillante et un léger susurrement
courut dans l'amphithéâtre.

980   La pièce n'était pas encore commencée ;
Octavien en profita pour regarder la salle.
Les gradins demi-circulaires, terminés de
chaque côté par une magnifique patte de lion
sculptée en lave du Vésuve, partaient en
985   s'élargissant d'un espace vide correspondant
à notre parterre, mais beaucoup plus res-
treint, et pavé d'une mosaïque de marbres
grecs ; un gradin plus large formait, de distance en distance, une zone distinctive, et
990   quatre escaliers correspondant aux vomitoires et montant de la base au sommet de
l'amphithéâtre le divisaient en cinq coins
plus larges du haut que du bas. Les spectateurs, munis de leurs billets, consistant en
995   petites lames d'ivoire où étaient désignés,
par leurs numéros d'ordre, la travée, le coin
et le gradin, avec le titre de la pièce repré-
sentée et le nom de son auteur, arrivaient
aisément à leurs places. Les magistrats, les
1000   nobles, les hommes mariés, les jeunes gens,
les soldats, dont on voyait luire les casques
de bronze, occupaient des rangs séparés. —
C'était un spectacle admirable que ces belles
toges et ces larges manteaux blancs bien dra-
1005   pés, s'étalant sur les premiers gradins et
contrastant avec les parures variées des femmes, placées au-dessus, et les capes grises
des gens du peuple, relégués aux bancs supé-
rieurs, près des colonnes qui supportent le

1010 toit, et qui laissaient apercevoir, par leurs
interstices, un ciel d'un bleu intense comme
le champ d'azur d'une panathénée [1] ; — une
fine pluie d'eau, aromatisée de safran, tom-
bait des frises en gouttelettes imperceptibles,
1015 et parfumait l'air qu'elle rafraîchissait.
Octavien pensa aux émanations fétides qui
vicient l'atmosphère de nos théâtres, si
incommodes qu'on peut les considérer
comme des lieux de torture, et il trouva que
1020 la civilisation n'avait pas beaucoup marché.

Le rideau, soutenu par une poutre trans-
versale, s'abîma dans les profondeurs de
l'orchestre, les musiciens s'installèrent dans
leur tribune, et le Prologue parut vêtu grotes-
1025 quement et la tête coiffée d'un masque dif-
forme, adapté comme un casque.

Le Prologue [2], après avoir salué l'assis-
tance et demandé les applaudissements,
commença une argumentation bouffonne.
1030 « Les vieilles pièces, disait-il, étaient comme
le vin qui gagne avec les années, et la
Casina, chère aux vieillards, ne devait pas
moins l'être aux jeunes gens ; tous pouvaient
y prendre plaisir : les uns parce qu'ils la
1035 connaissaient, les autres parce qu'ils ne la
connaissaient pas. La pièce avait été, du
reste, remise avec soin, et il fallait l'écouter

---

1. Fête en l'honneur d'Athéna à Athènes.
2. Le texte qui fut écrit pour une reprise n'est pas de Plaute. La
traduction et le résumé de Gautier sont assez libres : les noms des
personnages en particulier sont inexacts.

l'âme libre de tout souci, sans penser à ses
dettes, ni à ses créanciers, car on n'arrête pas
au théâtre ; c'était un jour heureux, il faisait
beau, et les alcyons planaient sur le forum. »
Puis il fit une analyse de la comédie que les
acteurs allaient représenter, avec un détail
qui prouve que la surprise entrait pour peu
de chose dans le plaisir que les anciens prenaient au théâtre ; il raconta comment le
vieillard Stalino, amoureux de sa belle
esclave Casina, veut la marier à son fermier
Olympio, époux complaisant qu'il rempla-
cera dans la nuit des noces ; et comment
Lycostrata, la femme de Stalino, pour
contrecarrer la luxure de son vicieux mari,
veut unir Casina à l'écuyer Chalinus, dans
l'idée de favoriser les amours de son fils ;
enfin la manière dont Stalino, mystifié,
prend un jeune esclave déguisé pour Casina,
qui, reconnue libre et de naissance ingénue,
épouse le jeune maître, qu'elle aime et dont
elle est aimée.

Le jeune Français regardait distraitement
les acteurs, avec leurs masques aux bouches
de bronze, s'évertuer sur la scène ; les esclaves couraient çà et là pour simuler l'empres-
sement ; le vieillard hochait la tête et tendait
ses mains tremblantes ; la matrone, le verbe
haut, l'air revêche et dédaigneux, se carrait
dans son importance et querellait son mari,
au grand amusement de la salle. — Tous ces
personnages entraient et sortaient par trois

1070 portes pratiquées dans le mur du fond et communiquant au foyer des acteurs. — La maison de Stalino occupait un coin du théâtre, et celle de son vieil ami Alcesimus lui faisait face. Ces décorations, quoique très 1075 bien peintes, étaient plutôt représentatives de l'idée d'un lieu que du lieu lui-même, comme les coulisses vagues du théâtre classique.

Quand la pompe nuptiale conduisant la 1080 fausse Casina[1] fit son entrée sur la scène, un immense éclat de rire, comme celui qu'Homère attribue aux dieux, circula sur tous les bancs de l'amphithéâtre, et des tonnerres d'applaudissements firent vibrer les 1085 échos de l'enceinte ; mais Octavien n'écoutait plus et ne regardait plus.

Dans la travée des femmes, il venait d'apercevoir une créature d'une beauté merveilleuse. A dater de ce moment, les char- 1090 mants visages qui avaient attiré son œil s'éclipsèrent comme les étoiles devant Phœbé[2] ; tout s'évanouit, tout disparut comme dans un songe ; un brouillard estompa les gradins fourmillants de monde, 1095 et la voix criarde des acteurs semblait se perdre dans un éloignement infini.

Il avait reçu au cœur comme une commotion électrique, et il lui semblait qu'il jaillis-

***

1. La vraie est, comme l'Arlésienne, invisible.
2. La lune.

sait des étincelles de sa poitrine lorsque le
1100 regard de cette femme se tournait vers lui.

Elle était brune et pâle ; ses cheveux
ondés et crespelés, noirs comme ceux de la
Nuit, se relevaient légèrement vers les tem-
pes, à la mode grecque, et dans son visage
1105 d'un ton mat brillaient des yeux sombres et
doux, chargés d'une indéfinissable expression de tristesse voluptueuse et d'ennui pas-
sionné ; sa bouche, dédaigneusement arquée
à ses coins, protestait par l'ardeur vivace de
1110 sa pourpre enflammée contre la blancheur
tranquille du masque ; son col présentait ces
belles lignes pures qu'on ne retrouve à présent que dans les statues. Ses bras étaient
nus jusqu'à l'épaule, et de la pointe de ses
1115 seins orgueilleux, soulevant sa tunique d'un
rose mauve, partaient deux plis qu'on aurait
pu croire fouillés dans le marbre par Phidias
ou Cléomène [1].

La vue de cette gorge d'un contour si cor-
1120 rect, d'une coupe si pure, troubla magnéti-
quement Octavien ; il lui sembla que ces
rondeurs s'adaptaient parfaitement à l'empreinte en creux du musée de Naples, qui
l'avait jeté dans une si ardente rêverie, et une
1125 voix lui cria au fond du cœur que cette
femme était bien la femme étouffée par la
cendre du Vésuve à la villa d'Arrius Diomèdes. Par quel prodige la voyait-il vivante,

---

1. Sculpteurs grecs des Ve et IIIe siècles.

assistant à la représentation de *La Casina* de
Plaute ? Il ne chercha pas à se l'expliquer ;
d'ailleurs, comment était-il là lui-même ? Il
accepta sa présence comme dans le rêve on
admet l'intervention de personnes mortes
depuis longtemps et qui agissent pourtant
avec les apparences de la vie ; d'ailleurs son
émotion ne lui permettait aucun raisonne-
ment. Pour lui, la roue du temps était sortie
de son ornière [1], et son désir vainqueur choisissait sa place parmi les siècles écoulés ! Il
se trouvait face à face avec sa chimère, une
des plus insaisissables, une chimère rétrospective. Sa vie se remplissait d'un seul coup.

En regardant cette tête si calme et si
passionnée, si froide et si ardente, si morte
et si vivace, il comprit qu'il avait devant
lui son premier et son dernier amour, sa
coupe d'ivresse suprême ; il sentit s'éva-
nouir comme des ombres légères les souvenirs de toutes les femmes qu'il avait cru
aimer, et son âme redevenir vierge de toute
émotion antérieure. Le passé disparut.

Cependant la belle Pompéienne, le men-
ton appuyé sur la paume de la main, lançait
sur Octavien, tout en ayant l'air de s'occuper
de la scène, le regard velouté de ses yeux
nocturnes, et ce regard lui arrivait lourd et
brûlant comme un jet de plomb fondu. Puis

---

1. *Hamlet*, I, sc. 5, v. 189 : « le temps est hors de ses gonds ».

elle se pencha vers l'oreille d'une fille assise à son côté.

1160 La représentation s'acheva ; la foule s'écoula par les vomitoires. Octavien, dédaignant les bons offices de son guide Holconius, s'élança par la première sortie qui s'offrit à ses pas. A peine eut-il atteint la

1165 porte, qu'une main se posa sur son bras, et qu'une voix féminine lui dit d'un ton bas, mais de manière à ce qu'il ne perdît pas un mot :

« Je suis Tyché Novoleja [1], commise aux

1170 plaisirs d'Arria Marcella, fille d'Arrius Diomèdes. Ma maîtresse vous aime, suivez-moi. »

Arria Marcella venait de monter dans sa litière portée par quatre forts esclaves

1175 syriens nus jusqu'à la ceinture, et faisant miroiter au soleil leurs torses de bronze. Le rideau de la litière s'entrouvrit, et une main pâle, étoilée de bagues, fit un signe amical à Octavien, comme pour confirmer les paroles

1180 de la suivante. Le pli de pourpre retomba, et la litière s'éloigna au pas cadencé des esclaves.

Tyché fit passer Octavien par des chemins détournés, coupant les rues en posant légère-

1185 ment le pied sur les pierres espacées qui relient les trottoirs et entre lesquelles roulent

---

1. Le nom de l'entremetteuse s'inspire de celui figurant sur une inscription « Tyché Nevoleia ».

les roues des chars, et se dirigeant à travers le dédale avec la précision que donne la familiarité d'une ville. Octavien remarqua ¹¹⁹⁰ qu'il franchissait des quartiers de Pompéi que les fouilles n'ont pas découverts, et qui lui étaient en conséquence complètement inconnus. Cette circonstance étrange parmi tant d'autres ne l'étonna pas. Il était décidé ¹¹⁹⁵ à ne s'étonner de rien. Dans toute cette fantasmagorie archaïque, qui eût fait devenir un antiquaire fou de bonheur, il ne voyait plus que l'œil noir et profond d'Arria Marcella et cette gorge superbe victorieuse des siècles, ¹²⁰⁰ et que la destruction même a voulu conserver.

Ils arrivèrent à une porte dérobée, qui s'ouvrit et se ferma aussitôt, et Octavien se trouva dans une cour entourée de colonnes ¹²⁰⁵ de marbre grec d'ordre ionique peintes, jusqu'à la moitié de leur hauteur, d'un jaune vif, et le chapiteau relevé d'ornements rouges et bleus ; une guirlande d'aristoloche suspendait ses larges feuilles vertes en forme ¹²¹⁰ de cœur aux saillies de l'architecture comme une arabesque naturelle, et près d'un bassin encadré de plantes, un flamant rose se tenait debout sur une patte, fleur de plume parmi les fleurs végétales.

¹²¹⁵ Des panneaux de fresque représentant des architectures capricieuses ou des paysages de fantaisie décoraient les murailles. Octavien vit tous ces détails d'un coup d'œil

Intérieur d'une villa pompéienne.

rapide, car Tyché le remit aux mains des
esclaves baigneurs qui firent subir à son
impatience toutes les recherches des thermes
antiques. Après avoir passé par les différents
degrés de chaleur vaporisée, supporté le
racloir du strigilaire [1], senti ruisseler sur lui
les cosmétiques et les huiles parfumées, il
fut revêtu d'une tunique blanche, et retrouva
à l'autre porte Tyché, qui lui prit la main et
le conduisit dans une autre salle extrême-
ment ornée.

Sur le plafond étaient peints, avec une
pureté de dessin, un éclat de coloris et une
liberté de touche qui sentaient le grand maître et non plus le simple décorateur à
l'adresse vulgaire, Mars, Vénus et l'Amour ;
une frise composée de cerfs, de lièvres et
d'oiseaux se jouant parmi les feuillages
régnait au-dessus d'un revêtement de marbre
cipolin [2] ; la mosaïque du pavé, travail mer-
veilleux dû peut-être à Sosimus de Pergame,
représentait des reliefs de festin exécutés
avec un art qui faisait illusion.

Au fond de la salle, sur un biclinium ou lit
à deux places, était accoudée Arria Marcella
dans une pose voluptueuse et sereine qui
rappelait la femme couchée de Phidias sur le
fronton du Parthénon ; ses chaussures, bro-
dées de perles, gisaient au bas du lit, et son

---

1. Un esclave armé d'un strigile raclait la peau du baigneur.
2. Marbre grisâtre à veines ondulées.

beau pied nu, plus pur et plus blanc que le marbre, s'allongeait au bout d'une légère couverture de byssus [1] jetée sur elle.

Deux boucles d'oreilles faites en forme de balance et portant des perles sur chaque plateau tremblaient dans la lumière au long de ses joues pâles ; un collier de boules d'or, soutenant des grains allongés en poire, circulait sur sa poitrine laissée à demi découverte par le pli négligé d'un peplum [2] de couleur paille bordé d'une grecque noire ; une bandelette noir et or passait et luisait par places dans ses cheveux d'ébène, car elle avait changé de costume en revenant du théâtre ; autour de son bras, comme l'aspic autour du bras de Cléopâtre, un serpent d'or, aux yeux de pierreries, s'enroulait à plusieurs reprises et cherchait à se mordre la queue.

Une petite table à pieds de griffons, incrustée de nacre, d'argent et d'ivoire, était dressée près du lit à deux places, chargée de différents mets servis dans des plats d'argent et d'or ou de terre émaillée de peintures précieuses. On y voyait un oiseau du Phase [3] couché dans ses plumes, et divers fruits que leurs saisons empêchent de se rencontrer ensemble.

Tout paraissait indiquer qu'on attendait un

1. De lin très fin.
2. Tunique de femme.
3. Un faisan ; le Phase fait la frontière mythique entre l'Europe et l'Asie.

hôte ; des fleurs fraîches jonchaient le sol, et les amphores de vin étaient plongées dans des urnes pleines de neige.

Arria Marcella fit signe à Octavien de s'étendre à côté d'elle sur le biclinium et de prendre part au repas ; — le jeune homme, à demi fou de surprise et d'amour, prit au hasard quelques bouchées sur les plats que lui tendaient de petits esclaves asiatiques aux cheveux frisés, à la courte tunique. Arria ne mangeait pas, mais elle portait souvent à ses lèvres un vase myrrhin [1] aux teintes opalines rempli d'un vin d'une pourpre sombre comme du sang figé ; à mesure qu'elle buvait, une imperceptible vapeur rose montait à ses joues pâles, de son cœur qui n'avait pas battu depuis tant d'années ; cependant son bras nu, qu'Octavien effleura en soulevant sa coupe, était froid comme la peau d'un serpent ou le marbre d'une tombe.

« Oh ! lorsque tu t'es arrêté aux Studii à contempler le morceau de boue durcie qui conserve ma forme, dit Arria Marcella en tournant son long regard humide vers Octavien, et que ta pensée s'est élancée ardemment vers moi, mon âme l'a senti dans ce monde où je flotte invisible pour les yeux grossiers ; la croyance fait le dieu, et l'amour fait la femme. On n'est véritablement morte que quand on n'est plus aimée ;

---

1. De la couleur de la myrrhe.

ton désir m'a rendu la vie, la puissante évocation de ton cœur a supprimé les distances qui nous séparaient. »

L'idée d'évocation amoureuse qu'exprimait la jeune femme, rentrait dans les croyances philosophiques d'Octavien, croyances[1] que nous ne sommes pas loin de partager.

En effet, rien ne meurt, tout existe toujours ; nulle force ne peut anéantir ce qui fut une fois. Toute action, toute parole, toute forme, toute pensée tombée dans l'océan universel des choses y produit des cercles qui vont s'élargissant jusqu'aux confins de l'éternité. La figuration matérielle ne disparaît que pour les regards vulgaires, et les spectres qui s'en détachent peuplent l'infini. Pâris continue d'enlever Hélène dans une région inconnue de l'espace. La galère de Cléopâtre gonfle ses voiles de soie sur l'azur d'un Cydnus[2] idéal. Quelques esprits passionnés et puissants ont pu amener à eux des siècles écoulés en apparence, et faire revivre des personnages morts pour tous. Faust a eu pour maîtresse la fille de Tyndare[3], et l'a conduite à son château gothique, du fond des abîmes mystérieux de l'Hadès. Octavien

---

1. Salut amical à Nerval qu'il démarque dans le paragraphe suivant.
2. Fleuve d'Asie mineure ; en 42 av. J.-C. s'y déroulèrent des fêtes en l'honneur de Cléopâtre.
3. Hélène ; Faust la ramène des Enfers (l'Hadès).

venait de vivre un jour sous le règne de Titus et de se faire aimer d'Arria Marcella, fille d'Arrius Diomèdes, couchée en ce moment près de lui sur un lit antique dans une ville détruite pour tout le monde.

« A mon dégoût des autres femmes, répondit Octavien, à la rêverie invincible qui m'entraînait vers ses types radieux au fond des siècles comme des étoiles provocatrices, je comprenais que je n'aimerais jamais que hors du temps et de l'espace. C'était toi que j'attendais, et ce frêle vestige conservé par la curiosité des hommes m'a par son secret magnétisme mis en rapport avec ton âme. Je ne sais si tu es un rêve ou une réalité, un fantôme ou une femme, si comme Ixion [1] je serre un nuage sur ma poitrine abusée, si je suis le jouet d'un vil prestige de sorcellerie, mais ce que je sais bien, c'est que tu seras mon premier et mon dernier amour.

— Qu'Éros, fils d'Aphrodite, entende ta promesse, dit Arria Marcella en inclinant sa tête sur l'épaule de son amant qui la souleva avec une étreinte passionnée. Oh ! serre-moi sur ta jeune poitrine, enveloppe-moi de ta tiède haleine, j'ai froid d'être restée si long-temps sans amour. » Et contre son cœur Octavien sentait s'élever et s'abaisser ce beau sein, dont le matin même il admirait le moule à travers la vitre d'une armoire de

1. Amoureux de Junon, il fut abusé par Zeus.

71

musée ; la fraîcheur de cette belle chair le
pénétrait à travers sa tunique et le faisait brû-
1365   ler. La bandelette or et noir s'était détachée
de la tête d'Arria passionnément renversée,
et ses cheveux se répandaient comme un
fleuve noir sur l'oreiller bleu.

Les esclaves avaient emporté la table. On
1370   n'entendit plus qu'un bruit confus de baisers
et de soupirs. Les cailles familières, insou-
ciantes de cette scène amoureuse, picoraient
sur le pavé de mosaïque les miettes du festin
en poussant de petits cris.

1375   Tout à coup les anneaux d'airain de la
portière qui fermait la chambre glissèrent sur
leur tringle, et un vieillard d'aspect sévère et
drapé dans un ample manteau brun parut sur
le seuil. Sa barbe grise était séparée en deux
1380   pointes comme celle des Nazaréens, son
visage semblait sillonné par la fatigue des
macérations : une petite croix de bois noir
pendait à son col et ne laissait aucun doute
sur sa croyance : il appartenait à la secte [1],
1385   toute récente alors, des disciples du Christ.

A son aspect, Arria Marcella, éperdue de
confusion, cacha sa figure sous un pli de son
manteau, comme un oiseau qui met la tête
sous son aile en face d'un ennemi qu'il ne
1390   peut éviter, pour s'épargner au moins l'hor-

---

1. Jérôme Carcopino a vainement cherché des traces chrétiennes
à Pompéi (*Études d'histoire chrétienne*, 1953) ; mais la mort des
religions est un thème qui revient dans la nouvelle et qui est nerva-
lien.

reur de le voir ; tandis qu'Octavien, appuyé
sur son coude, regardait avec fixité le personnage fâcheux qui entrait ainsi brusque-
ment dans son bonheur.

1395 « Arria, Arria, dit le personnage austère
d'un ton de reproche, le temps de ta vie n'a-
t-il pas suffi à tes déportements, et faut-il
que tes infâmes amours empiètent sur les
siècles qui ne t'appartiennent pas ? Ne peux-
1400 tu laisser les vivants dans leur sphère, ta cendre n'est donc pas encore refroidie depuis le
jour où tu mourus sans repentir sous la pluie
de feu du volcan ? Deux mille ans de mort
ne t'ont donc pas calmée, et tes bras voraces
1405 attirent sur ta poitrine de marbre, vide de
cœur, les pauvres insensés enivrés par tes
philtres.

— Arrius, grâce, mon père, ne m'acca-
blez pas, au nom de cette religion morose
1410 qui ne fut jamais la mienne ; moi, je crois
à nos anciens dieux qui aimaient la vie, la
jeunesse, la beauté, le plaisir ; ne me replon-
gez pas dans le pâle néant. Laissez-moi jouir
de cette existence que l'amour m'a rendue.

1415 — Tais-toi, impie, ne me parle pas de tes
dieux qui sont des démons. Laisse aller cet
homme enchaîné par tes impures séduc-
tions ; ne l'attire plus hors du cercle de sa
vie que Dieu a mesurée ; retourne dans les
1420 limbes du paganisme avec tes amants asiatiques, romains ou grecs. Jeune chrétien,
abandonne cette larve qui te semblerait plus

73

hideuse qu'Empouse et Phorkyas[1], si tu la pouvais voir telle qu'elle est. »

1425 Octavien, pâle, glacé d'horreur, voulut parler ; mais sa voix resta attachée à son gosier, selon l'expression virgilienne[2].

« M'obéiras-tu, Arria ? s'écria impérieusement le grand vieillard.

1430 — Non, jamais », répondit Arria, les yeux étincelants, les narines dilatées, les lèvres frémissantes, en entourant le corps d'Octavien de ses beaux bras de statue, froids, durs et rigides comme le marbre. Sa

1435 beauté furieuse, exaspérée par la lutte, rayonnait avec un éclat surnaturel à ce moment suprême, comme pour laisser à son jeune amant un inéluctable souvenir.

« Allons, malheureuse, reprit le vieillard,

1440 il faut employer les grands moyens, et rendre ton néant palpable et visible à cet enfant fasciné », et il prononça d'une voix pleine de commandement une formule d'exorcisme qui fit tomber des joues d'Arria les teintes

1445 pourprées que le vin noir du vase myrrhin y avait fait monter.

En ce moment, la cloche lointaine d'un des villages qui bordent la mer ou des hameaux perdus dans les plis de la montagne

---

1. Empouse est un vampire féminin ; Phorkyas est inspiré par le dieu de la mer Phorkys ; ce sont deux personnages du *Second Faust* de Goethe.

2. Gautier traduit : « Vox faucibus haesit », *Enéide*, III, 48.

1450 fit entendre les premières volées de la Salu-
tation angélique.

A ce son, un soupir d'agonie sortit de la
poitrine brisée de la jeune femme. Octavien
sentit se desserrer les bras qui l'entouraient ;
1455 les draperies qui la couvraient se replièrent
sur elles-mêmes, comme si les contours qui
les soutenaient se fussent affaissés, et le mal-
heureux promeneur nocturne ne vit plus à
côté de lui, sur le lit du festin, qu'une pincée
1460 de cendres mêlée de quelques ossements cal-
cinés parmi lesquels brillaient des bracelets
et des bijoux d'or, et que des restes informes,
tels qu'on les dut découvrir en déblayant la
maison d'Arrius Diomèdes.

1465 Il poussa un cri terrible et perdit connaissance.

Le vieillard avait disparu. Le soleil se
levait, et la salle ornée tout à l'heure avec
tant d'éclat n'était plus qu'une ruine déman-
1470 telée.

Après avoir dormi d'un sommeil appe-
santi par les libations de la veille, Max et
Fabio se réveillèrent en sursaut, et leur premier soin fut d'appeler leur compagnon,
1475 dont la chambre était voisine de la leur, par
un de ces cris de ralliement burlesques dont
on convient quelquefois en voyage ; Octavien ne répondit pas, pour de bonnes raisons.
Fabio et Max, ne recevant pas de réponse,
1480 entrèrent dans la chambre de leur ami, et
virent que le lit n'avait pas été défait.

75

« Il se sera endormi sur quelque chaise, dit Fabio, sans pouvoir gagner sa couchette ; car il n'a pas la tête forte, ce cher Octavien ; et il sera sorti de bonne heure pour dissiper les fumées du vin à la fraîcheur matinale.

— Pourtant il n'avait guère bu, ajouta Max par manière de réflexion. Tout ceci me semble assez étrange. Allons à sa recherche. »

Les deux amis, aidés du cicerone, parcoururent toutes les rues, carrefours, places et ruelles de Pompéi, entrèrent dans toutes les maisons curieuses où ils supposèrent qu'Octavien pouvait être occupé à copier une peinture ou à relever une inscription, et finirent par le trouver évanoui sur la mosaïque disjointe d'une petite chambre à demi écroulée. Ils eurent beaucoup de peine à le faire revenir à lui, et quand il eut repris connaissance, il ne donna pas d'autre explication, sinon qu'il avait eu la fantaisie de voir Pompéi au clair de la lune, et qu'il avait été pris d'une syncope qui, sans doute, n'aurait pas de suite.

La petite bande retourna à Naples par le chemin de fer, comme elle était venue, et le soir, dans leur loge, à San Carlo, Max et Fabio regardaient à grand renfort de jumelles sautiller dans un ballet, sur les traces d'Amalia Ferraris [1], la danseuse alors en vogue, un

---

1. Danseuse italienne (1830-1904).

essaim de nymphes culottées, sous leurs jupes de gaze, d'un affreux caleçon vert monstre qui les faisait ressembler à des gre-
1515 nouilles piquées de la tarentule [1]. Octavien, pâle, les yeux troubles, le maintien accablé, ne paraissait pas se douter de ce qui se passait sur la scène, tant, après les merveilleuses aventures de la nuit, il avait peine à repren-
1520 dre le sentiment de la vie réelle.

A dater de cette visite à Pompéi, Octavien fut en proie à une mélancolie morne, que la bonne humeur et les plaisanteries de ses compagnons aggravaient plutôt qu'elles ne
1525 la soulageaient ; l'image d'Arria Marcella le poursuivait toujours, et le triste dénouement de sa bonne fortune fantastique n'en détruisait pas le charme.

N'y pouvant plus tenir, il retourna secrète-
1530 ment à Pompéi et se promena, comme la première fois, dans les ruines, au clair de lune, le cœur palpitant d'un espoir insensé, mais l'hallucination ne se renouvela pas ; il ne vit que des lézards fuyant sur les pierres ; il
1535 n'entendit que des piaulements d'oiseaux de nuit effrayés ; il ne rencontra plus son ami Rufus Holconius ; Tyché ne vint pas lui mettre sa main fluette sur le bras ; Arria Marcella resta obstinément dans la poussière.
1540 En désespoir de cause, Octavien s'est

---

1. Grosse araignée (de la région de Tarente en Italie) ; « être piqué de la tarentule » : c'est être dans une grande excitation.

marié dernièrement à une jeune et charmante Anglaise, qui est folle de lui. Il est parfait pour sa femme ; cependant Ellen [1], avec cet instinct du cœur que rien ne trompe, sent que son mari est amoureux d'une autre ; mais de qui ? C'est ce que l'espionnage le plus actif n'a pu lui apprendre. Octavien n'entretient pas de danseuse ; dans le monde, il n'adresse aux femmes que des galanteries banales ; il a même répondu très froidement aux avances marquées d'une princesse russe, célèbre par sa beauté et sa coquetterie. Un tiroir secret, ouvert pendant l'absence de son mari, n'a fourni aucune preuve d'infidélité aux soupçons d'Ellen. Mais comment pourrait-elle s'aviser d'être jalouse de Marcella, fille d'Arrius Diomèdes, affranchi de Tibère ?

1545
1550
1555

---

1. Ce prénom rappelle une dernière fois Hélène du *Second Faust*.

Les fouilles de Pompéi en 1814.

Dessin de Mazois.

ANNEXES

I

Les dernières heures de Pompéi

Le 24 août 79 l'éruption du Vésuve engloutissait Pompéi, Herculanum et Stabies. Le sommet du volcan explosa, un raz-de-marée s'ensuivit qui bouleversa le rivage. Il y eut des centaines et probablement des milliers de victimes. Surtout, le traumatisme fut aussi considérable, toutes proportions gardées, que ceux causés par Hiroshima et Tchernobyl en notre temps. L'écrivain latin Pline le Jeune a vécu l'événement comme une fin du monde et le raconte à son ami, l'historien Tacite comme une apocalypse.

C'était déjà la première heure du jour et la lumière était encore incertaine et comme malade ; déjà les bâtiments se lézardaient autour de nous et bien que nous fussions à découvert, l'étroitesse du lieu nous menaçait de dangers sérieux et inévitables en cas d'écroulement. C'est seulement alors que notre sortie de la ville [1] fut décidée ; une foule suit, consternée, et, dans un réflexe qui dans la peur semble de la sagesse, préfère l'idée d'autrui à la sienne propre ; il se réunit une grande troupe qui presse et accélère notre marche. Une fois en dehors des endroits bâtis, nous nous arrêtons et alors nous éprouvons bien des surprises,

---

1. Misène à 40 km à vol d'oiseau de Pompéi, *cf.* carte.

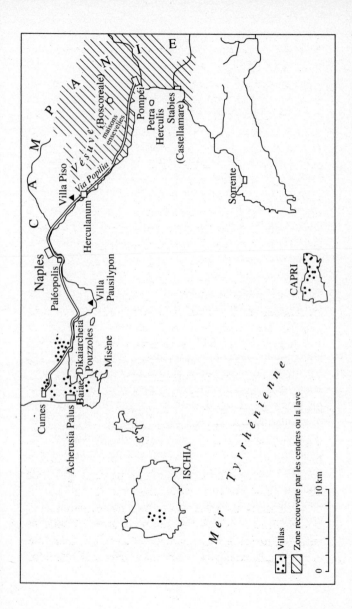

C A M P A N I E

Vésuve

(Boscoreale) maisons ensevelies

Pompéi

Petra Herculis

Herculis

Stabies (Castellamare)

Villa Piso

Via Popilia

Herculanum

Sorrente

Naples

Paléopolis

Villa Pausilypon

Cumes

Dikaiarcheia

Baiae

Pouzzoles

Misène

Acherusia Palus

CAPRI

ISCHIA

Mer Tyrrhénienne

Villas

Zone recouverte par les cendres ou la lave

0   10 km

bien des frayeurs. Les voitures que nous avions fait emmener, quoique le terrain fût parfaitement uni, avançaient tout de travers, et, même calées par des pierres, ne restaient pas sur place. De plus nous voyions la mer retirée et comme repoussée par les secousses de la terre. En tout cas le rivage était élargi et une foule d'animaux marins échoués sur le sable mis à sec. De l'autre côté, une nuée noire et effrayante, déchirée par des vapeurs incandescentes formant des sinuosités et des zigzags s'ouvrait pour donner de longues traînées de feu ; ces dernières ressemblaient à des éclairs, mais elles étaient plus grandes. [...] Peu de temps après, la nuée descendait sur la terre, couvrait la mer ; elle avait enveloppé et dérobé Capri, caché la pointe qui s'avance à Misène. Alors ma mère se mit à me prier, à m'exhorter, à m'ordonner de fuir à tout prix ; un jeune homme pouvait le faire, mais elle, était alourdie par l'âge et l'embonpoint ; sa mort serait douce si elle n'était pas cause de la mienne ; je lui répondis que je ne me sauverais qu'avec elle. Puis je saisis son bras et je la force à doubler le pas. Elle le fait difficilement et s'accuse de me retarder. À ce moment, de la cendre, mais encore peu serrée ; je me retourne : une traînée noire et épaisse s'avançait sur nous par-derrière, semblable à un torrent qui aurait coulé sur le sol à notre suite. « Quittons le chemin, dis-je, pendant qu'il fait encore clair, de peur de tomber sur le passage et d'être écrasés sous les pas de nos compagnons dans les ténèbres. » À peine étions-nous assis et voici la nuit, comme on l'a, non point en l'absence de la lune et par temps nuageux, mais bien dans une chambre fermée, toute lumière éteinte. On entendait les gémissements des femmes, les vagissements des bébés, les cris des hommes ; les uns cherchaient de la voix leur père et leur mère, les autres leurs enfants, les autres leurs femmes, tâchaient de les reconnaître à la voix. Certains déploraient leur malheur à eux, d'autres celui des leurs. Il y en avait qui, par frayeur de la mort, appelaient la mort. Beaucoup élevaient les mains vers les dieux ; d'autres, plus nombreux, prétendaient que déjà il n'existait plus de dieux, que cette nuit était éternelle et la dernière du monde. Même il ne manqua pas de gens qui ajoutèrent des terreurs feintes et mensongères aux dangers réels. Il en venait racontant qu'à Misène tel édifice s'était écroulé ; tel autre brûlait ; inventions pures, mais qui trouvaient crédit. Une faible clarté reparut ; nous la prîmes non pour le jour, mais pour le signal de l'approche du feu. Heureusement ce feu s'arrêta à une certaine distance et de nouveau les ténèbres, de nouveau la cendre en abondance et lourde ; nous nous levions de temps en temps pour la secouer, sans quoi nous aurions été couverts et écrasés sous son poids. Je pourrais me vanter de n'avoir laissé échapper ni un gémissement ni une parole marquant la faiblesse au milieu de tels dangers, si je n'avais cru que me voir périr avec le monde, voir le monde périr avec moi soit, malgré mon malheur, une grande consolation de ma condition mortelle.

Pline, *Lettres*, VI, 20.
(Traduction d'Anne-Marie Guillemin.
Belles Lettres, 1962.)

II

Casina de Plaute

On sait la part que prit Théophile Gautier à la
« bataille d'Hernani ». *Le Capitaine Fracasse* présente une troupe de comédiens itinérants. Gautier tint
longtemps le feuilleton dramatique dans *La Presse*
d'Émile de Girardin. Les allusions au théâtre sont
nombreuses dans *Arria Marcella (Hamlet, Faust).*
Pour Gautier comme pour Nerval, le théâtre est
d'abord un « lieu magique » où le rêve rencontre la
réalité. C'est à l'occasion de la représentation de la
Casina de Plaute qu'Octavien rencontre son « premier et dernier amour ».

Sans aller jusqu'à voir dans l'analyse qui nous est
faite de l'œuvre de Plaute une sorte de raccourci de la
nouvelle tout entière, cette pièce ancienne et toujours
actuelle, qui doit plaire aux jeunes comme aux vieillards, s'inscrit dans le thème central d'*Arria Marcella* : mort et résurrection ou plutôt survie dans la
beauté permanente de la forme.

Gautier escamote quelque peu le vrai sujet de la
pièce : la rivalité amoureuse d'un père et d'un fils,
comme dans *L'Avare*. Son résumé évoque plutôt
l'intrigue du *Mariage de Figaro*, la ruse du comte
Almaviva mariant Suzanne à Figaro pour exercer le
droit du seigneur.

Revenons donc aux données exactes de Plaute, le

fondateur de la comédie latine (qui s'inspire lui-même d'une comédie grecque de Diphile, *Le Tirage au sort)*. On ne voit pas le fils du maître non plus que la jeune et belle esclave recueillie dans leur maison. La jeune fille est donc tirée au sort (d'où son nom, Casina, « la fille du hasard ») entre le régisseur du père, Olympio, et l'écuyer du fils, Chalinus. Le père et maître Lysidamus, devenu Stalino chez Gautier, se la réserve par fermier interposé, mais sa femme Lycostrata (alias Cléostrate) fait prendre sa place par l'écuyer Chalinus, qui met le voile de la mariée et rosse vigoureusement Olympio et Stalino pendant la nuit de noces. Le dénouement heureux du vrai mariage entre les jeunes gens est liquidé en trois vers.

Gautier présente donc la pièce de Plaute à sa façon. Il insiste sur la ressemblance avec Beaumarchais pour en dissimuler le caractère obscène, et sur les conventions théâtrales des types et du jeu pour rendre au théâtre comique latin son originalité et sa beauté si vivante et si artificielle à la fois.

La « salle » de spectacle, le lieu scénique, la pantomime des acteurs et l'histoire elle-même ne sont même plus « l'encadrement » qu'Octavien souhaitait pour ses rendez-vous amoureux. La réalité ou même le réalisme comique servent seulement de contrepoint à la fantastique et vraie histoire d'amour qui peut commencer.

III

Le Temple d'Isis, souvenir de Pompéi

Avant l'établissement du chemin de fer de Naples à Résina, une course à Pompéi était tout un voyage. Il fallait une journée pour visiter successivement Herculanum, le Vésuve, — et Pompéi, situé à deux milles plus loin ; souvent même on restait sur les lieux jusqu'au lendemain, afin de parcourir Pompéi pendant la nuit, à la clarté de la lune, et de se faire ainsi une illusion complète. Chacun pouvait supposer en effet que, remontant le cours des siècles, il se voyait tout à coup admis à parcourir les rues et les places de la ville endormie ; la lune paisible convenait mieux peut-être que l'éclat du soleil à ces ruines, qui n'excitent tout d'abord ni l'admiration ni la surprise, et où l'Antiquité se montre pour ainsi dire dans un déshabillé modeste.

Un des ambassadeurs résidant à Naples donna, il y a quelques années, une fête assez ingénieuse. — Muni de toutes les autorisations nécessaires, il fit costumer à l'antique un grand nombre de personnes ; les invités se conformèrent à cette disposition, et, pendant un jour et une nuit, l'on essaya diverses représentations des usages de l'antique colonie romaine. On comprend que la science avait dirigé la plupart des détails de la fête ; des chars parcouraient les rues, des marchands peuplaient les boutiques ; des collations réunissaient, à certaines heures, dans les principales maisons, les diverses compagnies des invités. Là, c'était l'édile Pansa, là Salluste, là Julia Felix, l'opulente fille de Scaurus, qui recevaient les convives et les admettaient à leurs foyers. — La maison des Vestales avait ses habitantes voilées ; celle des Danseuses ne mentait pas aux promesses de ses gracieux attributs. Les deux théâtres offrirent des représentations comiques et tragiques, et sous les colonnades du forum des citoyens oisifs échangaient les nouvelles du jour, tandis que, dans la basilique ouverte sur la place, on entendait retentir l'aigre voix des avocats ou les imprécations des plaideurs. — Des toiles et des tentures complétaient, dans tous les lieux où de tels spectacles étaient offerts, l'effet de décoration, que le manque général des toitures aurait pu contrarier ; mais on sait qu'à part ce détail, la conservation de la plupart des édifices est assez complète pour que l'on ait pu prendre grand plaisir à cette tentative palingénésique.

[...]

— Peut-être ai-je dû au souvenir éclatant d'Alexandrie, de Thèbes et des Pyramides, l'impression presque religieuse que me causa une seconde fois la vue du temple d'Isis de Pompéi. J'avais laissé mes compagnons de voyage admirer dans tous ses détails la maison de Diomède, et, me dérobant à l'attention des gardiens, je m'étais jeté au hasard dans les rues de la ville antique, évitant çà et là quelque invalide qui me demandait de loin où j'allais, et m'inquiétant peu de savoir le nom que la science avait retrouvé pour tel ou tel édifice, pour un temple, pour une maison, pour une boutique. N'était-ce pas assez que les drogmans et les Arabes m'eussent gâté les pyramides, sans subir encore la tyrannie des *ciceroni* napolitains ? J'étais entré par la rue des tombeaux ; il était clair qu'en suivant cette voie pavée de lave, où se dessine encore l'ornière profonde des roues antiques, je retrouverais le temple de la déesse égyptienne, situé à l'extrémité de la ville, auprès du théâtre tragique. Je reconnus l'étroite cour jadis fermée d'une grille, les colonnes encore debout, les deux autels à droite et à gauche, dont le dernier est d'une conservation parfaite, et au fond l'antique *cella* s'élevant sur sept marches autrefois revêtues de marbre de Paros.

Gérard de Nerval

Gérard de Nerval (introduction à sa traduction de
Faust et le second Faust, 1840).

« *Rien ne meurt de ce qui a frappé l'intelligence.* »

Cet infini toujours béant, qui confond la plus forte
raison humaine, n'effraye point le poète de Faust ; il
s'attache à en donner une définition et une formule ;
à cette proie mobile, il tend un filet visible mais insai-
sissable, et toujours grandissant comme elle. Bien
plus, non content d'analyser le vide et l'inexplicable
de l'infini présent, il s'attaque de même à celui du
passé. Pour lui comme pour Dieu sans doute, rien ne
finit, ou du moins rien ne se transforme que la
matière, et les siècles écoulés se conservent tout
entiers à l'état d'intelligences et d'ombres, dans une
suite de régions concentriques, étendues à l'entour
du monde matériel. Là ces fantômes accomplissent
encore ou rêvent d'accomplir les actions qui furent
éclairées jadis par le soleil de la vie, et dans lesquelles
elles ont prouvé l'individualité de leur âme immor-
telle. Il serait consolant de penser, en effet, que rien
ne meurt de ce qui a frappé l'intelligence, et que
l'éternité conserve dans son sein une sorte d'histoire
universelle, visible par les yeux de l'âme, synchro-
nisme divin, qui nous ferait participer un jour à la
science de Celui qui voit d'un seul coup d'œil tout
l'avenir et tout le passé.

PETITE CHRONOLOGIE ROMAINE

— *Avant Jésus-Christ :*

IXe-VIIIe s : occupation osque du site (village ?) de
Pompéi.
425 : invasion samnite
310 : entrée dans « l'alliance » romaine
89 : prise de la ville par Sylla, après la
révolte des « alliés » (guerre « sociale »)
contre Rome ; Pompéi devient colonie
romaine : *Colonia Cornelia Veneria
Pompeiorum*

— *Après Jésus-Christ :*

14-37 : règne de Tibère
54-68 : règne de Néron.
59 : bataille entre Pompéiens et habitants de
Nuceria (Nocera) qui entraîne une inter-
diction des spectacles durant 10 ans.
62 : tremblement de terre qui endommage
beaucoup d'édifices ; la ville est recons-
truite.
69-79 : règne de Vespasien.
24 août 79 : éruption du Vésuve (totalement inatten-
due : on ne savait pas que la montagne
était un volcan !)
79-81 règne de Titus.

PETITE CHRONOLOGIE
DES FOUILLES À POMPÉI

1748 : début des fouilles à Pompéi sous Charles III de Bourbon, roi de Naples (archéologues Alcubiene et Jacques Horace Martorelli)

1756 : 1re visite de Winckelmann et 1re étude scientifique.

(1788 : le « Voyage du jeune Anachausin » de l'abbé Barthélémy s'inspire des découvertes récentes)

1778-97 : 1er plan complet des fouilles par Francesco La Vega.

1824-38 : Illustration des découvertes pompéiennes par François Mazois *(Les Ruines de Pompéi*, 4 vol., Paris)

1860 : Naples entre dans le royaume d'Italie. Giuseppe Fiorelli est appelé à la direction des fouilles. La ville est divisée en régions et « insulae-îlots ».

1893 : extension des fouilles à la périphérie de Pompéi.

1901 : début de la direction d'Ettore Païs qui pratique des sondages stratigraphiques sous le niveau de 79 av. J.-C.

1924 : début de la direction d'Amedeo Maiuri et exploration systématique de toutes les zones peu connues et inconnues de Pompéi et de sa banlieue.

1961 : début de la direction de Alphonso de Franciscis

1968 : consolidation de l'amphithéâtre.

1980 : le séisme du 23 novembre cause à la ville d'énormes dégâts.

1983 : rapport de l'archéologue français Jean-Pierre Adam sur l'état des lieux.

1984 : la Communauté européenne attribue 36 milliards de lires à la restauration de Pompéi.

ORIENTATIONS BIBLIOGRAPHIQUES

1. Publication et éditions anciennes

Arria Marcella a paru dans la REVUE DE PARIS en mars 1852, puis dans LE PAYS du 24 au 28 août 1852.
La nouvelle est réunie ensuite à *Militona* et *Jean et Jeanette* sous le titre *Un trio de romans*, publié à Paris chez Victor Lecon la même année.
Elle entre dans les *Romans et Contes* publiés à Paris chez Charpentier en 1863, et dans le 1er volume d'*Œuvres* édité par Lemene en 1897 et intitulé *Romans et Contes* également.

2. Éditions récentes et actuelles de Théophile Gautier

1re réimpression d'*Arria Marcella* chez José Corti, en 1962, dans *Contes fantastiques*
— la nouvelle se trouve également dans : *L'Œuvre fantastique* (I. Nouvelles. II Romans), éd. Michel Crouzet, Classiques Garnier, Bordas, 1992 ;
— et les éditions de poche : Le Livre de poche classique, éd. A. Buisine, 1950 ;
ainsi que dans *Pompéi, le rêve sous les ruines* de Claude Aziza, paru dans la collection « Omnibus » aux Presses de la Cité.

3. Sur le « fantastique »

J.-P. Sartre : *Situations I,* « Aminadab », N.R.F.
P.-G. Castex : *Le Conte fantastique en France de Nodier à Maupassant*, J. Corti, 1951, nouvelle éd. 1962.
— *Anthologie du conte fantastique français*, 2e éd., 1963, chez Corti.
Georges Poulet : *Études sur le temps humain*, 1948.

(« Théophile Gautier et le second Faust »), Roger Caillois.
T. Todorov : *Introduction à la littérature fantastique*, Paris, 1970, Seuil.
I. Bessière : *Le récit fantastique, la poétique de l'incertain*, Larousse, 1974.
S. Freud : *Le délire et les rêves dans la « Gradiva » de W. Jensen* (précédé de *Gradiva, fantaisie pompéienne*, par Wilhelm Jensen), Gallimard, 1986.

4. Sur Théophile Gautier

Numéros spéciaux de revues :
REVUE D'HISTOIRE LITTÉRAIRE DE LA FRANCE : juillet-août 1972, n° 4.
EUROPE : mai 1979, n° 601 (notamment un article de Jean-Luc Steinmetz : « Gautier, Jensen et Freud »).

Un livre ancien, mais passionnant :
Émile Bergerat : *Théophile Gautier, entretiens, souvenirs et correspondance*, Charpentier, 1979.

5. Sur Pompéi

R. Etienne : *La vie quotidienne à Pompéi*, Hachette.
Pompéi, la cité ensevelie, collection Découvertes, Gallimard.

Table

IMPRIMÉ EN FRANCE PAR BRODARD ET TAUPIN
Usine de La Flèche (Sarthe).
LIBRAIRIE GÉNÉRALE FRANÇAISE - 43, quai de Grenelle - 75015 Paris.
ISBN : 2 - 253 - 13645 - X   ◈ 31/3645/4